Édition : JDH Éditions
77600 Bussy-Saint-Georges. France

Imprimé par BoD – Books on Demand, Norderstedt, Allemagne

Réalisation graphique couverture : Cynthia Skorupa

ISBN : 978-2-38127-217-7
Dépôt légal : janvier 2022

Révolution Cryptos

Décoder la finance de demain :
épargne, spéculation, entreprises, etc.

Thomas Andrieu
Velleyen Sawmy

Révolution Cryptos

Décoder la finance de demain : épargne, spéculation, entreprises, etc.

JDH Éditions
Les Pros de l'Éco

Remerciements sincères...

Ce livre n'aurait pas été permis sans l'accord du présent éditeur et surtout de CoinTribune (www.cointribune.com), un média cryptos particulièrement actif, et auquel nous sommes extrêmement heureux de pouvoir participer. Ce livre apparaît donc avant toute chose comme un recueil d'articles, que nous approfondirons ici, tout en ajoutant des concepts nouveaux, entièrement propres à cet ouvrage. Recueil et approfondissement de nos travaux respectifs sur les cryptomonnaies, ce livre est un condensé de théorie et de pratique.
Merci aux milliers de lecteurs fidèles et à tous nos puissants et respectables soutiens les plus indispensables.

Thomas et Velleyen

« Dans l'ancien monde, on avait pour réflexe de placer spontanément dans une catégorie à part les acteurs d'un secteur d'activité qui pouvaient se targuer d'avoir été édités. Écrire, signer, imprimer et vendre son livre, c'était faire partie des 0,0001 % qui ont réellement tenté d'ajouter de la valeur, pas simplement pour leur propre intérêt, mais avec l'objectif de faire avancer le Schmilblick. Un tel effort était respecté par tous.
En 2022, plus besoin de support papier, tout est digital. Mais on continue de faire la différence entre le blabla débité sur les réseaux sociaux et les plateaux télé à travers des vidéos, et les mots, les vrais, structurés dans un ouvrage destiné à être lu, à l'ancienne.
Beaucoup parlent, peu écrivent.
Je sais l'effort que cela représente, et si j'ai déjà le plaisir de voir les mots écrits par les auteurs du présent ouvrage venir enrichir les pages des médias cryptos que je dirige, quelle fierté j'éprouve pour eux de les voir aujourd'hui co-signer cet ouvrage sur une thématique qui me passionne. »

Frédéric Bonelli, CEO et owner de Cointribune.com et Cointelegraph France/Allemagne, auteur de TheCrypto.mba, contributeur Forbes

« Cet ouvrage offre une présentation à la fois accessible et précise de l'inscription des blockchains, des cryptomonnaies et de la DeFi dans l'histoire économique et monétaire. Les co-auteurs permettent au lecteur de redécouvrir la pensée d'Hayek en la revisitant à l'aune des possibles de la blockchain et de la finance décentralisée. L'avenir de l'économie et de la monnaie sera-t-il décentralisé ? C'est l'avis des co-auteurs qui mettent en

lumière un "processus historique global inévitable" aboutissant aux cryptomonnaies. »

Matthieu Quiniou, avocat associé du cabinet Legal Brain (legalbrain-avocats.fr), maître de conférences en Sciences de l'Information de la Communication (Université Paris 8), auteur de plusieurs livres sur la blockchain.

« *Tout d'abord, c'est un honneur d'être publié dans le dernier livre de Thomas sur les cryptos, une personne admirable sur les plans professionnel et personnel. En janvier 2018, à l'éclatement de la bulle spéculative des traders particuliers qui a conduit à une chute de 85 % du cours du bitcoin, la Haute Finance ignorait le bitcoin. Mais depuis 3 ans, la finance institutionnelle américaine et les grands noms de la monnaie aux États-Unis ont intégré le bitcoin comme nouvelle "classe d'actifs", via les contrats à terme, les ETF et fonds spécialisés. Les cryptos sont maintenant un marché de traders pros, de hedge funds, de banques et d'asset management, de quoi pérenniser la tendance haussière quelques années ; au-delà, personne n'est devin !* »

Vincent Ganne est un analyste de renom, expert des cryptomonnaies, il intervient régulièrement sur BFM Business, Cryptoast, Swissquote...

« *Comme pour beaucoup de monde, j'étais assez sceptique sur le bitcoin quand je l'ai découvert en 2017. Après son long bear market de 2018 à 2019, j'ai décidé d'en apprendre un peu plus sur le sujet puisque le prix avait fortement corrigé. Toute phase de changement passe d'abord par un rejet avant l'adoption. C'est pour cette raison que j'ai voulu en apprendre plus. Ce qui est selon moi le plus révolutionnaire dans tout cela, c'est bien évidemment la technologie qui découle du Bitcoin : la Blockchain qui révolutionne tout le système financier. Même s'il est pour l'heure plus difficile d'en faire une monnaie car son taux de variation est bien plus volatile que n'importe quelle devise ; il commence à y avoir une adoption par plusieurs entreprises comme monnaie régulière. Je pense que plus sa capitalisation va augmenter, plus les cycles seront longs et moins volatiles, ce qui pourrait être plus favorable à en faire une monnaie de plus en plus récurrente. Cependant, comme il s'agit encore d'un actif considéré volatile, il varie souvent comme ce type d'actifs qui se trouve plus performant dans un environnement de marchés RISK-ON.* »

Laëtitia Bonaventure est analyste indépendante sur les marchés US (CMT). Vous pouvez la retrouver sur les réseaux ou son site www.laetitiabonaventure.fr

« *Lorsque les premières cryptomonnaies sont apparues, ma première surprise fut de constater l'engouement quasi immédiat qu'elles suscitèrent. Je m'expliquais ce phénomène, devenu planétaire, par le fait qu'il répondait à merveille à l'insatiable cupidité de bon nombre de nos congénères. J'avoue avoir fait preuve d'un certain scepticisme, dans un marché où le hasard régnait en maître absolu et où la volatilité explosive pouvait à tout moment dynamiter votre compte de trading pour le meilleur, et bien souvent le pire !*
En pur analyste technique, comment aurais-je pu m'intéresser à un pseudo actif, non régulé et, qui plus est, comme tout nouveau-né, ne disposant pas d'historique graphique suffisant pour extrapoler l'évolution des cours avec une bonne probabilité de succès ? En tant que formateur à ma propre méthode de trading, c'était la réponse que je donnais à mes stagiaires qui me demandaient mon avis sur les cryptomonnaies. Désor-

mais, l'historique graphique est suffisamment long et ma méthode de trading fonctionne aussi bien que sur les autres actifs. L'indispensable régulation est en marche, et le phénomène Cryptomonnaie a eu le mérite de donner le goût pour les placements financiers à une nouvelle génération d'investisseurs, et cela, on ne peut que s'en réjouir ! »

Antoine Quesada, trader pour compte propre, Formateur & Coach (www.aqts.fr)

« *La blockchain publique constitue une innovation de rupture. Elle est en train de modifier en profondeur la sphère financière et devrait impacter d'autres secteurs à l'avenir. Elle soulève de nombreux enjeux en termes de stabilité financière, efficience des marchés et de supervision. Quant aux cryptoactifs qui forment la face immergée de l'iceberg, ils sont les moyens nécessaires pour faire exister cette blockchain publique, mais pas une finalité.* »

Amaury Betton, fondateur de Lettres Ouvertes

Le mot des auteurs

28 septembre 2021, Neuilly-sur-Seine

Décoder les cryptomonnaies, voici tout l'enjeu de ces pages. Ce livre ne s'adresse pas à un public d'experts, ni à un public désintéressé des questions financières. Car après tout, quand on lit un livre sur la cryptomonnaie, c'est que le monde qui nous entoure ne nous est pas complètement indifférent. La cryptomonnaie ; c'est cette vaste duperie des gouvernants par les gouvernés ; c'est aussi cette fascinante révolution de la pensée et de l'organisation du monde ; où les exagérations les plus délirantes côtoient les plus grandes révolutions. Tirer le meilleur des cryptomonnaies, évincer les pires vices du système actuel ; voici la morale que le plus conservateur de ce monde ne pourra renier. Utopique direz-vous ; pas impossible lirez-vous.
Ce que je m'efforcerai de montrer, c'est que les cryptomonnaies ne sont pas apparues par hasard. Ce que je m'appliquerai à écrire, c'est que les cryptomonnaies suivent des lois fondamentales absolument passionnantes. Ce que je m'exercerai à expliquer, c'est cette forme de rationalité derrière l'éternelle irrationalité des technologies et des agitations financières que l'Histoire nous a condamnés à répéter.
Un jour, un de mes amis m'a demandé inopinément si les cryptomonnaies étaient des monnaies. Je lui ai répondu que la définition importait peu quand on changeait l'angle de vue lui-même. Le point précis des cryptomonnaies, c'est qu'elles changent les perspectives d'organisation du monde actuel. Si la définition de monnaie n'est pas la même chez un banquier central que chez un jeune Africain ou Latino, c'est que chacun n'a

pas le même intérêt dans le système en place. L'Histoire n'est qu'un vaste conflit d'intérêts dans lequel les systèmes les plus efficaces et les moins contraignants finissent toujours par s'imposer. Chacune de ces révolutions est la mort de l'élite ancienne et la gouvernance de nouvelles puissances.

L'objectif de ce livre est de mettre en évidence des phénomènes qu'aucun auteur n'a encore jamais soulevés. Certains passages, plus techniques et moins intuitifs, ouvriront sur des conclusions toujours synthétiques. Dans tous les cas, il est certain que les cryptomonnaies n'en seraient pas à ce stade si une véritable demande de changement communautaire n'existait pas. La force louable de tous les investisseurs et les entrepreneurs en cryptomonnaies, quelquefois spéculatifs et rêveurs, c'est de croire en l'imperturbable progrès de l'Humanité. Aussi heureux d'écrire cet ouvrage que d'être lu par des esprits toujours avisés, je tiens à remercier tous les responsables du processus éditorial. Par ailleurs, n'hésitez pas à déposer votre commentaire ; je suis toujours profondément ravi de pouvoir élever le degré d'appréciation à chaque ouvrage.

Pour finir, j'ai ajouté à la fin de cet ouvrage une approche primitive de la théorie monétaire qui a montré les plus convaincantes conclusions... Le problème, comme souvent, c'est que nous ne savons pas ce que nous ne savons pas... Notre liberté est restreinte par la contrainte de la pensée. Il se dit dans certains groupes de pensée économique que le XXIe siècle sera fait de trois tiers, dont deux périodes de ruptures. Le premier tiers est celui d'un capitalisme acharné, le deuxième tiers sera celui de l'effondrement de l'État Providence, et le troisième tiers sera celui d'une coopération entre pays qui seront pour le moins semblables ; dans une société où le destin du numérique et de la mondialisation ne feront qu'un. Les

cryptomonnaies sont alors une des assurances envisageables pour le bon déroulement du deuxième, voire du troisième tiers de ce siècle...
Enfin, une pensée plus personnelle à toutes les personnes impliquées de près ou de loin dans ce projet, à ma famille, et du plus grand cœur qu'il m'est donné d'avoir : une mémoire à mon grand-père qui n'aura pas pu voir les dernières pages.

Thomas Aloys Alexandre Andrieu

***

Je dédie ce livre à ma nièce qui vient de découvrir la vie : Anjaly. De plus, je souhaite remercier toutes les personnes qui m'ont permis d'avancer, et de découvrir de nouvelles choses depuis mes débuts dans l'écosystème. Merci pour chaque rencontre, échange et débat qui m'ont permis d'avancer. J'espère que ce livre pourra être pour vous une pierre à l'édifice de votre attrait pour la blockchain et la cryptomonnaie.

Velleyen Sawmy

Introduction

« *La suggestion selon laquelle le gouvernement devrait être privé de son monopole de l'émission de monnaie a ouvert les perspectives théoriques les plus fascinantes et a montré la possibilité d'arrangements qui n'ont jamais été envisagés.* »

Friedrich A.Hayek, 1976[1]

C'est ainsi qu'en 1976, dans son livre *Denationalisation of Money*, l'économiste Friedrich Hayek introduit la théorie de la concurrence monétaire. La théorie de la concurrence monétaire, pourrions-nous réécrire le libre marché monétaire, repose sur une idée simple : les agents choisissent leur propre monnaie. Dès lors, la monnaie n'est plus déterminée arbitrairement par des autorités centralisées : la monnaie devient un marché.
L'idée de monnaie n'a jamais été aussi bouleversée depuis que notre civilisation a accompli le plus grand progrès de tous les temps. La monnaie a évolué de manière extrême ces derniers siècles[2]. Il faut légitimement s'attendre à ce que cela se poursuive. La monnaie fait le monde qu'elle subit. Les premières formes de monnaies n'étaient pas des pièces, ni des métaux, mais bien des reconnaissances de dettes.
La diffusion très tardive des métaux, puis des pièces, a considérablement bouleversé le cours de l'Histoire. Effectivement, le commerce s'est accru, et les civilisations grecques et romaines en particulier ont émergé. Nous sommes 1 500 ans après les premières pièces ; 1 000 ans après, les premières formes de billets apparaissent en

---

[1] *Denationalisation of Money*, Introduction, Friedrich Hayek, 1976.
[2] Voir mon livre sur l'or et l'argent : *L'or et l'argent : guide complet pour comprendre et investir* (JDH Éditions, 2021).

Chine, puis en Europe quelques siècles plus tard, accompagnant la naissance des premiers systèmes bancaires. La monnaie devient du papier.
L'observation historique est que la monnaie évolue au gré des innovations qu'elle encourage. À la fin du XXe siècle, la diffusion de l'informatique bouleverse une nouvelle fois les moyens d'échange. La communication s'accélère, les esprits se confrontent et s'accordent, les États entrent en concurrence, et les peuples se libèrent de leur propre responsabilité. La naissance de la civilisation numérique a changé toutes les perspectives monétaires jusqu'alors établies. Les États et les banques centrales ont appliqué le système de monnaie scripturale à Internet (virements, comptes en ligne...), mais ce système reste complexe, lent, coûteux, et profondément centralisé.
La majorité de la population mondiale possède un accès au réseau bancaire gravement inefficace. Ainsi, 1,7 milliard d'adultes n'ont pas de compte bancaire sur Terre[3], soit 30 % de la population adulte mondiale. Plus intéressant encore, la Banque mondiale précise que 2 adultes sur 3 sans compte bancaire ont un téléphone mobile, c'est-à-dire environ 1,1 milliard de personnes[4]. Dans la plupart des pays occidentaux, plus de 90 % de la population a accès à un compte bancaire. Mais la situation est très différente dans de nombreux pays en Asie du Sud-Est ou en Afrique centrale, où parfois moins de 20 % de la population a accès à un compte bancaire, comme aux Philippines ou au Niger. De plus, 85 % des paiements mondiaux se font par cash et une transaction bancaire met en moyenne 3 à 5 jours pour s'effectuer. On com-

---

[3] D'après la Banque mondiale, Global FINDEX, données de 2017.
[4] Le Mexique aurait par exemple 50 % des adultes sans compte bancaire en possession d'un téléphone tandis que plus de 82 % des Chinois sans compte bancaire (plus de 200 millions de personnes sans compte) ont un téléphone.

prend dès lors l'intérêt accru pour les cryptomonnaies pour des pays comme la Chine, ou des pays d'Amérique centrale et d'Afrique, tous les géants de demain et les dominants d'après-demain. Les cryptomonnaies ont cette capacité à fusionner intrinsèquement monnaie et numérique. Il y a quelques siècles, l'imprimerie a permis la diffusion de monnaie-papier. L'informatique permet la diffusion de monnaies numériques.

Ces innovations monétaires impliquent des changements monétaires. Les billets ont supprimé lentement aux États le monopole de création monétaire au profit du système bancaire. En France, c'est la loi du 24 germinal de l'an XI (14 avril 1803) qui a donné à la seule Banque de France la possibilité d'émettre des billets payables. Partout en Occident, les billets ont donné le monopole monétaire aux banques centrales, supprimant indirectement aux États un pouvoir millénaire. Les cryptomonnaies repoussent ces perspectives, en décentralisant encore la monnaie, mettant aujourd'hui en cause le monopole des banques centrales[5].

Ce livre est un concentré de théorie et de pratique, d'analyses fondamentales et factuelles. Il sera ici inutile de préciser que le postulat de la concurrence monétaire repose sur la quête de liberté économique des agents. Ceux qui n'ont pas foi en la liberté, par paresse ou souci d'universalisme, n'auront que peu d'intérêt à lire ces pages. Au-delà de la théorie, ce livre offre un condensé de nouvelles approches techniques, statistiques, économiques, etc. Ce livre montre que s'enrichir avec les cryptomonnaies, c'est possible, mais pas une évidence, et les mécanismes qui sont à la source de ce marché sont complexes. Ce livre aborde ainsi la question des cryptomonnaies avec un recul plus abouti et contrasté.

---

[5] De plus en plus de grandes banques utilisent les cryptomonnaies comme moyen de transaction dans le système bancaire, ce qui atteint la souveraineté des banques centrales.

La monnaie est une question économique particulièrement complexe, qui déchirera éternellement les économistes. À ce jour, la seule certitude est que la monnaie demeure historiquement la troisième convention économique de nos sociétés, après le travail et la dette. Cette convention, qui est celle de la monnaie, évolue de manière dynamique au gré des décisions politiques et de la conjoncture économique.
Près de 5 000 ans après les premières formes de dettes, près de 1 500 ans après la première pièce de monnaie, tout juste 1 000 ans après le premier billet, nous voici face aux cryptomonnaies[6]. Il n'est pas ici question de partir de l'idée selon laquelle les cryptomonnaies sont l'avenir immédiat de la monnaie. L'Histoire économique contrastée qui promet d'advenir en politique répondra à cette question. Néanmoins, les cryptomonnaies ouvrent les dimensions les plus troublantes, et modifient congénitalement nos pratiques financières, monétaires, et économiques. L'enjeu sera ici de se concentrer sur l'utilité, tant économique que financière, des cryptomonnaies. Nouvelle utilité des cryptomonnaies qui, malgré certains inconvénients, n'a jamais été assurée par les monnaies traditionnelles.
Ayant passé de longs mois à discuter avec des économistes, des analystes, des gestionnaires, des traders, tous relatent les mêmes problèmes, les mêmes questionnements face au système actuel. Certaines des études de ce livre réactualisées, que vous retrouverez en outre sur www.andrieuthomas.com, tendent toutes à montrer les conclusions les plus étonnantes. On ne restera pas sans rappeler que la hausse récente des marchés boursiers ces deux dernières décennies est le fait quasi exclusif de la création monétaire, et ainsi de la dette publique.

---

[6] On notera tout brièvement la nature fractale des innovations historiques et leur schéma temporel de répétition.

Il fait peu de doutes sur le fait que le plus grand dysfonctionnement économique de l'époque précapitaliste (XVIe-XIXe) fut le contrôle totalement arbitraire de la monnaie par les États. Passé un certain niveau de développement, le contrôle arbitraire des paramètres monétaires conduit aux pires dysfonctionnements des marchés, et finalement au dysfonctionnement de la société elle-même. Rien n'a réellement changé de nos problèmes actuels. Les études statistiques récentes montrent indiscutablement que le contrôle entièrement arbitraire de la masse monétaire par les États et les banques centrales conduit aux pires distorsions, dans le présent (inégalités, décorrélation des marchés, faussement du système des prix, etc.) et dans le futur (déstabilisation des budgets, des balances de commerce et de paiement, déstabilisation sociale, du système productif, etc.).
Il est urgent de repenser notre système monétaire. Le système monétaire actuel montrera de graves signes de dysfonctionnement d'ici plus d'une décennie si rien n'est anticipé comme il se doit. L'idée selon laquelle le libre marché monétaire peut substituer le système monétaire centralisé actuel est une solution des plus fascinantes. Si la transition se confirme, elle se fera sur des décennies entières, de la même manière que le système monétaire des banques centrales a substitué le système monétaire des seuls États. Car la croissance entraîne la division et la spécialisation des marchés, nous assistons aujourd'hui à la disparition d'un modèle ancien, étouffé par sa propre inefficience.
À force d'agir pour stimuler le système, les banques centrales en sont aujourd'hui à créer de la monnaie avec le seul objectif de ne pas provoquer un effondrement des marchés. Agir sous la contrainte systémique : c'est la fin de l'efficacité, le début de la morosité, et l'annonce de la disparition… Car trop d'impôt tue l'impôt, trop de régulation tue la régulation, trop de monnaie tue la monnaie.

Ainsi, se pose à nous un défi monétaire comme rarement il y en a eu dans l'Histoire. La responsabilité de cette transition incombera idéalement aux programmes informatiques plutôt qu'aux costumes noirs, indémodables depuis près d'un siècle et demi.
Ces pages diffèrent des écrits généralement admis sur les cryptomonnaies, et servent aussi bien les questions des économistes que des investisseurs particuliers et des plus grands gestionnaires. Tout l'enjeu de ces écrits est de faire avancer autant que possible la compréhension et les croyances qui entourent la sphère des cryptomonnaies. Ce livre s'organise en trois parties. La première partie cherchera à décoder les mécanismes qui font que les cryptomonnaies se distinguent profondément du système globalement considéré à travers une étude économique, une étude du fonctionnement intrinsèque des cryptomonnaies, et enfin une approche des perspectives soulevées par un tel bouleversement. La deuxième partie insistera sur une approche de la finance décentralisée, et enfin la troisième partie sur un ensemble de clés de lecture du marché des cryptomonnaies d'un point de vue économique et financier. De nombreuses approches, non formulées jusqu'ici par les analystes sur la nature du marché des cryptomonnaies, montrent les résultats les plus palpitants.

I – Cryptomonnaies : entre innovation et révolution

Le début du XXIe siècle est marqué par la numérisation et le souci d'universalisme qui en découle. Les esprits se rapprochent de la même norme, attirés par le même souci de ressemblance et de progrès technique. La politique devient alors le moyen pour des hommes de pouvoir de contrôler, et de décider arbitrairement du destin de peuples, qui ne le sont plus vraiment. Les cryptomonnaies ont cette audacieuse habileté pour défier les excès institutionnels des dernières décennies, tout en constituant une directive inévitable de la civilisation telle que nous la connaissons : celle de l'évolution de la monnaie. Les cryptomonnaies sont au cœur de ces inéluctables mutations, dans un monde qui devient aussi rapide que différent. C'est l'innovation qui réduit la pauvreté, qui défie les risques de guerres et d'immobilisme social, et qui annihile pour un temps seulement le malheur sur terre. Les cryptomonnaies ne sont certainement pas le modèle le plus abouti ni le plus parfait, mais elles constituent une preuve vivante de la mobilité monétaire des civilisations, entraînant dérives, dangers et spéculations, succès et richesses. En ce début de XXIe siècle, tandis que la croissance tend à être réduite, que la monnaie accélère sa dévaluation, et que les innovations devraient évoluer vers des formes plus mornes pour les prochaines décennies, le concept de monnaie numérique pourrait ouvrir, selon l'expression de Friedrich Hayek, « *les perspectives les plus fascinantes* ». Enjeu d'une civilisation en plein basculement, il ne s'agit pas seulement d'un sujet de société, mais aussi et surtout d'un sujet hautement financier, économique, et individuel.

Cette partie contextualise avant toute chose la place des cryptomonnaies dans le système actuel, leur fonctionnement, et les possibles avancées permises par la diffusion récente d'une telle technologie. Pour saisir les mécanismes qui ont inévitablement mené à l'apparition des cryptomonnaies, nous reviendrons, et insisterons, sur un recul historique fondamental.

1. Limites économiques et monétaires actuelles

Avant de traiter des aspects techniques, du cœur du propos des cryptomonnaies et de leur application, il est important de contextualiser un tel phénomène économique. Dans les prochaines décennies, en particulier en Occident, de lourdes problématiques économiques et monétaires devraient inévitablement faire surface. Ces problématiques économiques et monétaires du XXIe siècle détermineront l'avenir de nos sociétés elles-mêmes. Nous vivons dans des sociétés qui n'ont jamais été aussi dépendantes de la structure économique.
Le fait est que les gouvernements ont perdu leur liberté à assurer celle du peuple. Il réside certainement dans cette phrase une des grandes conséquences de l'équilibre monétaire et économique des dernières décennies. Effectivement, depuis les dernières décennies, deux grandes dynamiques aux conséquences néfastes sont à différencier.
Tout d'abord, au niveau économique. La dynamique économique depuis les années 1980 reste assez simple et inchangée. Depuis 1981 et le choc désinflationniste[7], nous

[7] Manœuvre de Paul Volcker aux États-Unis en 1981 avec une hausse des taux directeurs de 11,2 % en 1979 à 20 % en 1981 pour réduire l'inflation galopante. L'inflation culmine à 13,5 % en 1981 pour redescendre à 3,2 % en 1983. Depuis, nous vivons dans des économies à faible inflation.

assistons à une réduction de l'inflation, une baisse des taux et de la croissance, provoquant mécaniquement une hausse de l'endettement, de la pression fiscale et du chômage. En règle générale, l'économie est un processus dynamique qui alterne entre périodes d'inflation (et de reflation[8] ou désinflation[9]) et de déflation, entre périodes de hausse et de baisse des taux, de la croissance, etc. Le maintien trop long d'une de ces dynamiques est souvent une source d'importantes tensions (instabilité politique, tensions sur le profit des entreprises, la rémunération des ménages, etc.). C'est précisément ce à quoi nous assistons.

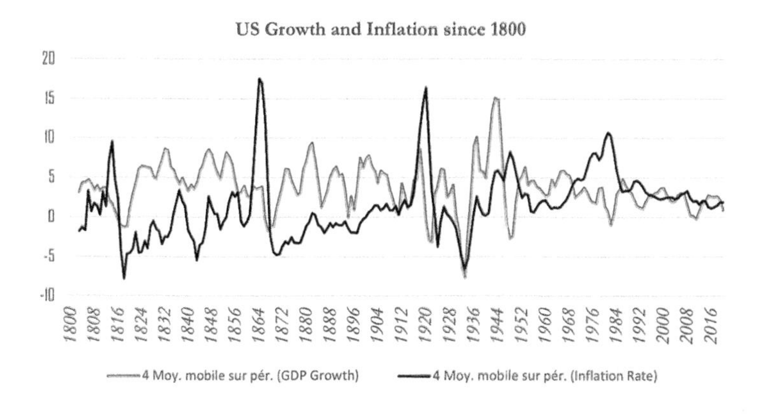

Figure 1 – Taux d'inflation (courbe foncée) et le taux de croissance aux États-Unis depuis 1800

La hausse des salaires tend à diminuer en même temps que l'évolution des rendements (de taux) et de l'inflation (voir graphique ci-dessus). En parallèle, les déficits publics s'accroissent de manière irréversible et surtout irrationnelle. En conséquence, les dettes publiques augmentent sans aucune mesure. En 2020, les dettes publiques mondiales représentent 98 % du PIB mondial,

[8] Hausse de l'inflation.
[9] Chute de l'inflation.

contre 84 % en 2019. La dette publique mondiale (dettes financières, privées et publiques) s'élève quant à elle à 277 000 milliards de dollars, soit plus de 220 % du PIB mondial.

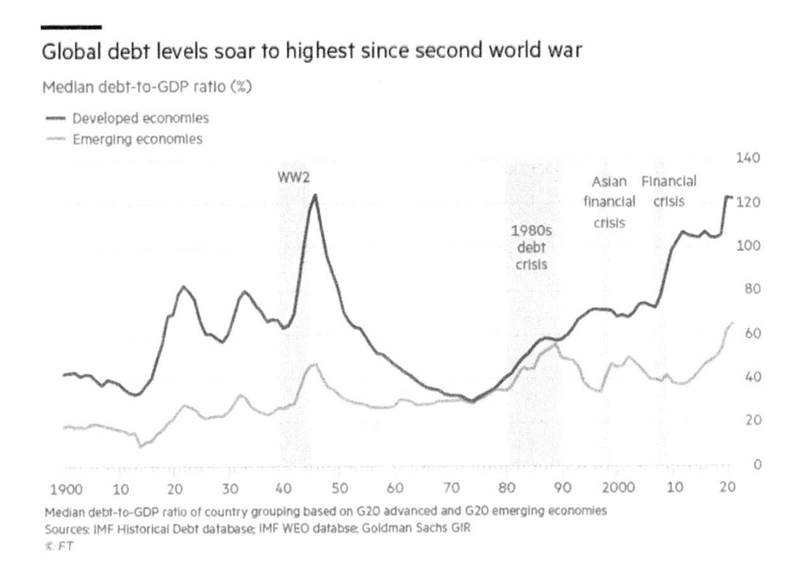

Figure 2 – Dette publique mondiale (en % du PIB).
Source : Financial Times

En outre, le problème mondial n'est pas directement les dettes accumulées. La vraie menace économique repose sur des risques de liquidités. L'économie respecte des logiques cycliques qui déterminent l'évolution des taux, de l'inflation, de l'endettement. La présence de certaines périodes de réajustements puissants (retour ou diminution de la croissance, de l'inflation, du chômage, etc.) permet de dynamiser l'évolution globale de l'économie à long terme. Écrit simplement, pour que l'économie fonctionne, il faut des changements réguliers.

Les deux dernières grandes périodes de réajustements économiques ont été celles des années 1930/1940, suivies des années 1970/1980. Ainsi, l'équilibre économique présent depuis la fin de l'étalon-or se confronte à des limites de plus en plus fortes. Le processus de chute des taux, de chute de l'inflation et de hausse de l'endettement a très bien fonctionné jusqu'à la bulle Internet de la fin des années 1990.

Depuis 2000, l'efficacité de cette dynamique économique en faveur de la demande faiblit. Comme ce fut le cas après la crise de 1929, la faiblesse des taux directeurs rendait impossible une nouvelle baisse de taux sans effets économiques contre-productifs. En 1929, les taux directeurs de la FED étaient à 6 %. Ce mouvement a fait suite à une raréfaction des liquidités à partir de juillet 1929, ce qui a provoqué une dernière phase de spéculation de 4,3 mois[10]. Après 1929, les taux directeurs de la FED ne seront plus que de 1,5 % en 1933, pour ensuite tomber à 1 % en 1937. Les taux sont restés dans cette fourchette pendant plus de 15 ans. En conséquence, le bilan de la FED a drastiquement augmenté sur la même période. La baisse des taux n'étant plus suffisante pour soutenir la demande, il a fallu créer de la monnaie. Cette histoire-là, vécue depuis des siècles, fait écho à notre système économique actuel.

Nous en sommes à ce point précis de l'histoire monétaire, dans des proportions encore jamais observées. À partir des années 2000, la dynamique en faveur de la demande et de la mondialisation commence à s'épuiser. Cela se traduit en particulier par la chute de l'utilisation de la monnaie (vélocité). Depuis les années 2000, le besoin d'intervention monétaire et budgétaire s'accroît exponentiellement. Comme le montre le graphique ci-dessous, le bilan de la *Bank of England* (banque centrale

---

[10] Les manipulations monétaires de la banque centrale américaine avant le krach de 1929 sont souvent jugées responsables de la crise boursière, en particulier pour des économistes comme Milton Friedman.

d'Angleterre) est passé de 3,5 % du PIB en 2001 à 22,6 % en 2016, et près de 50 % du PIB fin 2020.

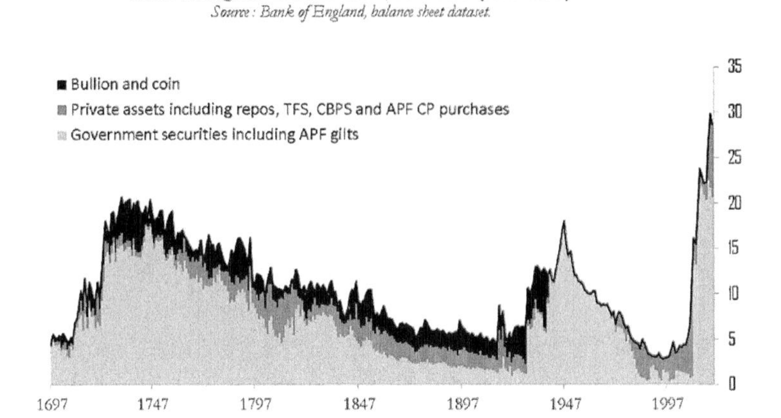

Figure 3 -Bilan de la Banque d'Angleterre (en % du PIB)
Source : BoE

Des bilans centraux élevés ne sont pas anormaux quand la croissance fait du surplace et que les taux sont au plus bas. La BoE (Bank of England) est un bon exemple historique en matière de politiques monétaires. Le bilan de la BoE représentait 21 % du PIB en 1732, 17 % en 1834, 19 % en 1947 et près de 23 % en 2016. Une étude approfondie, à la fois théorique et statistique, montre que ces politiques ne sont jamais éternelles, aussi intenses qu'elles soient. Toutes ces périodes d'expansion ont suivi ou mené à des bulles, accompagnant des excès de dépenses publiques et des périodes de fortes tensions économiques.

D'une part, on notera en effet que la quasi-totalité des phases de politiques monétaires expansionnistes (création monétaire) respecte des logiques cycliques de 26 à 27 ans. D'autre part, comme développé dans mes précédentes publications, des politiques monétaires expansionnistes se confrontent mathématiquement et mécaniquement à des limites de destruction monétaire, de vélocité, d'endettement, de consommation et de confiance. Pour simplifier, voici une publication en lien avec les problèmes monétaires actuels disponible sur cointribune.com :

En réalité, nous vivons dans un monde de crises de liquidités à répétition, formidablement obstruées par une destruction monétaire inopérante. Effectivement, le fait que les taux aient diminué depuis les années 1980 implique la hausse des dettes publiques, qui ne sont pas remboursées. Cela bloque la destruction monétaire et augmente naturellement le bilan des banques centrales du monde entier. Ce qui est grave. Écrit plus clairement, l'ampleur des politiques monétaires et budgétaires actuelles reflète l'inefficacité de l'équilibre économique dans lequel nous vivons.
Les émissions de dettes publiques arrivent sur des niveaux records, de manière complètement déconnectée de la réalité économique. Cela s'explique par deux grandes raisons. (1) Premièrement, le service de la dette est souvent supérieur au déficit (hors crise) lui-même, ce qui rend la dynamique sur la dette autoentretenue de manière (très) inquiétante. (2) Ensuite, les États ne peuvent pas réduire les dépenses publiques. La France a dépassé le seuil des 60 % du PIB de dépenses publiques en 2020 et 2021. Une réduction des dépenses publiques impliquerait une diminution du PIB par contraction de la demande. Ce qu'aucun responsable politique n'est prêt à endurer.

Par ces processus précis, la destruction monétaire n'existe plus. Chaque année, les déficits tendent à augmenter, le soutien à la demande tend à s'amplifier sans pour autant être facteur de croissance, et *in fine*, cela mène à une mise en tension graduelle des agents économiques. Les entreprises diminuent la hausse des salaires, les États sont contraints de dégrader la qualité des services publics, les ménages sont contraints à un endettement plus important avec des ruptures patrimoniales.
L'absence de destruction monétaire implique nécessairement une inflation du prix des actifs financiers. Effectivement, le marché obligataire représente près de deux fois la capitalisation du marché actions. Le marché obligataire est également le deuxième marché en termes de volumes après l'immobilier. Une baisse des taux souverains, qui implique une hausse de la dette publique, résulte inévitablement dans une hausse de l'immobilier[11], des actions et autres actifs. Pour plus de détails, voici mon article pour cointribune.com sur les actifs refuges :

En résumé, l'équilibre économique dans lequel nous vivons depuis le début des années 1980 se confronte à des limites graduelles depuis la bulle Internet. Cet équilibre économique n'est ni viable ni durable. Il implique la montée des oppositions politiques, des tensions économiques,

[11] L'immobilier est un marché corrélé à la démographie d'une part mais aussi à l'évolution des taux et de la dette publique d'autre part.

sociales et politiques. Les États et les banques centrales sont contraints à la dégradation monétaire continue au seul titre de maintenir un idéal de stabilité apparente.
De manière plus concrète, nous assistons depuis des décennies à la multiplication des crises de liquidités. La multiplication des crises interbancaires[12] est le résultat d'émissions massives de dettes en complément à la hausse globale des valorisations des marchés. Ces crises sont cachées par une création monétaire toujours plus intense et soutenue. En parallèle, la chute de rentabilité des banques commerciales et les risques de défaillance du système bancaire se multiplient.
Un monde dans lequel les déficits sont éternellement plus élevés, sous l'égide du pouvoir monétaire des banques centrales, ne conduira qu'à une centralisation inefficace des pouvoirs économiques. Ces 40 dernières années sont le fait d'un keynésianisme surinterprété au bon vouloir de l'interventionnisme d'État. Keynes n'a jamais défendu une baisse durable et soutenue des taux.
La considération théorique derrière les taux doit être dynamique. Si vous espérez un rendement de 12 % avec un taux de crédit de 10 %, vous emprunterez/prêterez. Si vous espérez un rendement de 0 % avec un taux de 1 %, vous n'emprunterez/prêterez pas. Les taux réels suivent la croissance. Baissez les taux exagérément, et vous baisserez la croissance, créant une éviction au profit de celui qui s'endette le plus. Les banques centrales n'assurent plus cette dynamique depuis 2000, ce qui est dangereux pour la société telle que nous la connaissons.
D'un point de vue monétaire maintenant, les tensions sont également croissantes. Les monnaies traditionnelles perdent naturellement leur valeur de manière continue.

---

[12] Le marché interbancaire est un marché de prêts de court terme entre banques, fonds et entreprises. Son encours quotidien pour les seuls États-Unis en 2018 était estimé à 1 000 Mds $.

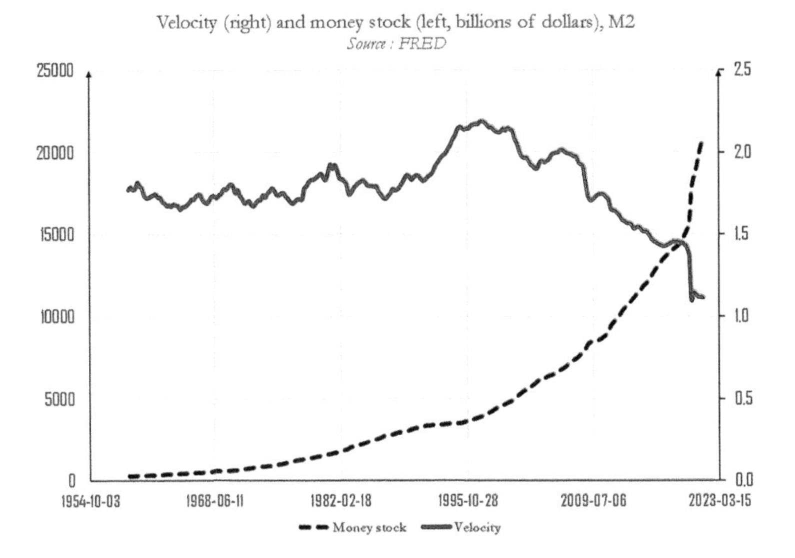

Figure 4 – Masse monétaire (M2) et vélocité pour les États-Unis, 1960-2021. Source : FRED

Depuis 1997, la vélocité[13] des États-Unis continue sa chute abyssale et n'est plus qu'à 1,134 début 2021, soit une chute de près de 50 %. Dans le même temps, la masse monétaire est passée de 685,5 Mds $ en août 1971 à plus de 19 500 Mds $ mi-2021, soit une masse monétaire (M2) multipliée par plus de 28 ! La courbe de la masse monétaire est quasiment exponentielle. Mais alors, quel est le risque à terme ?

Une chute prononcée de la vélocité a été notable avant et pendant chaque période de déclin de nombreuses puissances. Ce fut par exemple le cas sous la Grèce Antique, sous l'Empire romain (*avec Maximus I par exemple*), à Florence au milieu du XIVe siècle, sous Henri XVIII au

---

[13] La vélocité est le nombre de fois où chaque unité monétaire (1 € par exemple) est utilisée en une année. Plus la vélocité chute, plus l'utilisation de chaque unité de monnaie diminue. Cette dynamique est à mettre en lien avec les quantités globales de monnaies échangées.

milieu du XVIe siècle, etc. La liste des exemples historiques d'un phénomène de chute de la vélocité est longue. Cela nous ramène à cette fameuse comparaison historique – *que j'affectionne* – entre les cryptomonnaies et les monnaies clandestines. Il n'est pas rare de voir **l'apparition de nouvelles monnaies** en périodes de chute de la vélocité. C'est une figure historique millénaire que nous reproduisons une fois de plus. Néanmoins, l'apparition de nouvelles monnaies se fait cette fois-ci dans une économie plus décentralisée et moins contraignante.

Une monnaie forte n'existe que si elle est utilisée et reconnue. Cette condition fondamentale est gravement atteinte par les politiques des États consistant à augmenter continuellement les déficits. Il existe en effet une corrélation quasi totale entre la vitesse de circulation de la monnaie (vélocité) et les déficits publics :

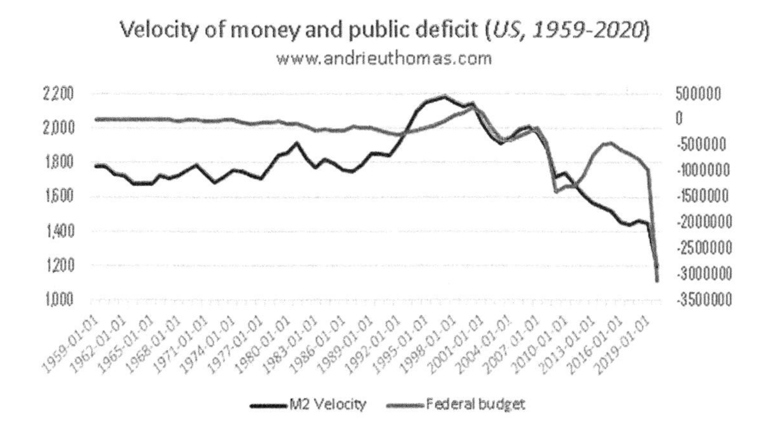

*Figure 5 – La vitesse de circulation de la monnaie dépend de l'équilibre budgétaire. Données pour les États-Unis : **1959-2020***

Parenthèse technique, Keynes a mené une critique intéressante sur la vélocité dans sa théorie pour la préférence de liquidités. Pour lui, une baisse des taux d'intérêt provoque un attrait plus important pour les liquidités (des taux faibles incitent à garder ses économies), ce qui fait diminuer la vélocité. À l'inverse, une hausse du taux d'intérêt permettrait de faire augmenter la vélocité. James Tobin a également repris cette critique en ajoutant la notion de risque encouru par rapport aux rendements (taux). Cette approche de la vélocité nous permet de mieux comprendre ce qui se déroule et va probablement se dérouler. En réalité, on ne voit d'autre explication à la chute de la vélocité que la récurrence de dépenses publiques excessives du fait de faibles taux d'intérêt. Il y a une crise implicite de la monnaie :

Les Banques centrales se sont mises à créer des quantités importantes de devises. Cette création monétaire a participé à augmenter les liquidités, mais, dans le même temps, comme ces liquidités étaient de moins en moins rémunérées (baisse massive des taux), les agents ont préféré garder ces milliards de dollars. En ne faisant pas circuler les devises créées, la vélocité s'est effondrée. À cela, il faut ajouter la notion de risque. En rachetant massivement des obligations, les Banques centrales ont fait monter le prix de nombreux actifs. Sur des produits comme les obligations, cela ne fait que perdurer un surendettement étatique et pousse les agents, pour le même rendement, à prendre deux fois plus de risques. Faible rémunération et prise de risque supplémentaire ont donc fait chuter la vélocité. Et comme la vélocité chute, les Banques centrales doivent créer encore plus de devises pour maintenir la croissance, ce qui aggrave la situation sur le risque et les liquidités, et ainsi de suite... C'est ce qui explique cette courbe quasi exponentielle de la masse monétaire.

Les banques centrales se sont enfoncées dans une impasse monétaire qui conduit à des politiques irréversibles (impossibilité de monter durablement les taux). Ce sujet était déjà d'actualité à l'époque de Friedrich Hayek. En 1976, dans son livre *Denationalisation of Money,* il écrit :

« *Quand la création monétaire est réalisée de manière monopolistique par un émetteur, en particulier le gouvernement, il s'agit d'un crime lucratif qui est généralement toléré [plus tard, Hayek ajoute : "même applaudi"] et reste impuni car ses conséquences sont mal comprises. Mais pour l'émetteur d'une monnaie qui est en concurrence avec d'autres monnaies, ce serait un acte suicidaire, car cela détruirait l'utilité pour laquelle les gens détiennent cette monnaie. [...]* »

Denationalisation of Money, 1976,
part "The addictive drug of cheap money"

Le propos entier de Friedrich Hayek reposait sur l'idée d'un système économique où se confronteraient plusieurs monnaies privées. Dans sa théorie, les agents se dirigeraient vers les monnaies les plus stables, abolissant la centralisation des banques centrales et des taux d'intérêt. Cette théorie rompt fortement avec la pensée normative actuelle qui prédomine, et cette théorie connaît naturellement les critiques les plus virulentes des personnalités d'État. Pour en savoir plus sur la théorie de *concurrence monétaire* :

Friedrich Hayek insistait fortement sur le fait que personne n'avait réellement réfléchi à l'idée d'un marché monétaire. Un peu comme personne n'avait imaginé de créer un système de changes flottant plutôt qu'un système fixe et déterminé par les gouvernements. En effet, si la monnaie est un marché, alors ce marché est assurément un monopole d'État. L'État, sans régulateur monétaire (sans concurrence), est voué à émettre une monnaie qui ne pourrait que conduire à l'effondrement du marché monétaire, et donc au déclin relatif de la société elle-même. Le problème qui émergeait dès l'époque de Friedrich Hayek, c'est que le monopole monétaire n'assure pas le bien commun passé un certain niveau de développement technique de la société... Et le problème, c'est que personne ne percevait qu'il y avait un problème... « *Il n'y a pas de réponse dans la littérature disponible à la question de savoir pourquoi un monopole gouvernemental de la fourniture d'argent est universellement considéré comme indispensable.* [...] *Il a les défauts de tous les monopoles.* »
De toute évidence, un tel système impliquerait une lourde refonte juridique, idéologique et économique afin de pouvoir fonctionner correctement. La proposition de décentralisation des pouvoirs monétaires est tout particulièrement intéressante, notamment face aux limites graduelles du système actuel. Mais il paraît clair que de nouvelles limites à ce système décentralisé émergeraient. Quoi qu'il en soit, cela nous amène nécessairement aux cryptomonnaies.

« *Une fois que le principe de concurrence des monnaies aurait été généralement accepté dans les pays économiquement prépondérants, il est probable qu'il s'étendrait rapidement à tous les peuples libres de choisir leurs propres institutions. Il resterait sans nul doute des enclaves dictatoriales ne souhaitant pas abandonner leurs pouvoirs monétaires – ceci, même une fois que l'absence de contrôle des échanges serait devenue la marque distinctive des pays honnêtes et civilisés.* »

Friedrich Hayek, *Denationalisation of Money,* 1976.

Les cryptomonnaies se diffusent à tous les niveaux et ont rapidement atteint ces dernières années le milieu interbancaire. La souveraineté des banques centrales repose sur le contrôle du marché interbancaire, et ce à travers la monnaie unique. La transformation monétaire qu'impliquent les cryptomonnaies est bien réelle. Opportunité pour les banques commerciales, c'est une menace pour les banques centrales. Fin juin 2021, le président de la Banque de France, François Villeroy de Galhau, appelait les institutions européennes à mettre « en urgence », un cadre de réglementation européen.
« *Qu'il s'agisse des monnaies numériques ou des paiements, nous, en Europe, devons être prêts à agir aussi vite que nécessaire, ou prendre le risque d'une érosion de notre souveraineté monétaire [...]. Je dois souligner ici l'urgence : il ne nous reste plus beaucoup de temps, un ou deux ans.* »

François Villeroy de Galhau,
Président de la Banque de France,
colloque financier de Paris Europlace, 29 juin 2021

Dans les 20 prochaines années, les changements économiques et financiers qui vont opérer, avec un fort niveau de dette et une faible croissance, vont déterminer l'avenir

même de nos sociétés. Les gouvernements seront structurellement confrontés à des difficultés croissantes. Dès lors, un choix de civilisation se pose. Ce siècle sera certainement divisé en trois phases : l'avènement du marché, les conflits économiques et politiques, la restructuration moins avare.
D'un côté, nous pouvons faire le choix d'une société libre dans laquelle les gouvernements redonneraient des responsabilités et de plus grandes responsabilités politiques aux citoyens. Cela passe par une plus forte décentralisation, un monopole de l'État sur l'économie réduit, et pardessus tout, une réforme profonde de nos États. De l'autre côté, les États peuvent faire le choix pour les citoyens d'une société administrée dans laquelle les gouvernements continueraient à déresponsabiliser économiquement les citoyens. Ce qui provoquerait une centralisation des pouvoirs économiques et politiques qui deviendrait menaçante.
Notre système économique actuel est dominé par cet incroyable paradoxe entre pratiques économiques libérales et pratiques politiques à tendance autoritaires : le fameux despotisme doux de Tocqueville. Jusqu'ici, les nouvelles technologies, depuis plus d'un siècle, n'ont fait que permettre aux États d'accumuler des informations du domaine privé (revenus, activité, situation familiale, etc.). Le développement technique accroît le contrôle de l'État sur la nation. En conséquence, cela a ouvert la possibilité de renforcer le pouvoir des États et leur contrôle sur les citoyens devenu, comparativement au début du XXe siècle, abusif. Simplement car l'efficacité économique repose sur l'information dont disposent les agents.
« *Au-dessus de ceux-là [des individus] s'élève un pouvoir immense et tutélaire, qui se charge seul d'assurer leur jouissance et de veiller sur leur sort. Ce pouvoir est absolu, détaillé, régulier, prévoyant et doux. Il ressemble-*

rait à la puissance paternelle si, comme elle, il aime que les citoyens se réjouissent, pourvu qu'ils ne songent qu'à se réjouir. Il travaille volontiers à leur bonheur ; mais il veut en être l'unique agent et le seul arbitre ; il pourvoit à leur sécurité, prévoit et assure leurs besoins, facilite leurs plaisirs, conduit leurs principales affaires, dirige leur industrie, règle leurs successions, divise leurs héritages, que ne peut-il leur ôter entièrement le trouble de penser et la peine de vivre ?
C'est ainsi que tous les jours il rend moins utile et plus rare l'emploi du libre arbitre, qu'il renferme l'action de la volonté dans un plus petit espace [...]. »

Alexis de Tocqueville,
De la démocratie en Amérique II (1840), chapitre VI

Le fait idéologique est que le développement technique profite à l'expansion des pouvoirs de l'État ; à tel point que les individus en viennent récemment à se soumettre corps et âme. Sans opposition, entièrement dépendants des institutions publiques, les citoyens perdent leurs libertés les plus fondamentales et agissent selon des volontés qui les dépassent, ce qui n'était même pas imaginable il y a 10 ans. Ainsi, le délitement structurel de l'État Providence est une réalité immanquable des prochaines décennies, ce qui aboutira sous peu à de profonds bouleversements politiques[14]. Les cryptomonnaies n'ont pas un rôle neutre dans ces dynamiques historiques.

[14] Plus loin, Tocqueville ajoute ce qui résonne comme une prophétie du destin de la Ve République... « *Une constitution qui serait républicaine par la tête, et ultra monarchique dans toutes les autres parties, m'a toujours semblé un monstre éphémère. Les vices des gouvernants et l'imbécilité des gouvernés ne tarderaient pas à amener la ruine ; et le peuple, fatigué de ses représentants et de lui-même, créerait des institutions plus libres, ou retournerait bientôt s'étendre aux pieds d'un seul maître.* »

Le progrès économique a sorti plus de gens de la pauvreté que l'État n'a aidé de pauvres. Les citoyens oublient trop souvent que le poids de l'État dans l'économie est de l'ordre du monopole absolu. Le poids du secteur privé dans l'économie est passé de près de 92 % au début du XXe siècle[15] à 60 % avant la crise des subprimes. On a assisté à une nette inversion de la situation avec l'avènement mondial du socialisme dans les années 1930. Les dépenses publiques ont littéralement explosé au cours du dernier siècle. En 1900, les dépenses publiques représentaient 1,01 % au Japon, 2,70 % aux États-Unis ou 11,4 % en France. C'est respectivement près de 39 %, 38 % et 56 % en 2018. Écrit plus clairement, une grande partie du PIB est de plus en plus devenue dépendante de la ponction du secteur privé. Cela a pour effet de ralentir les phases de croissance. La tendance à long terme (en particulier depuis les années 1950) est donc un ralentissement de la croissance qu'implique la diminution des facteurs alloués au secteur privé.
En conséquence, l'action de l'État devient à chaque fois moins efficace. Les relations publiques ne sont plus pertinentes et l'économie devient mécaniquement moins dynamique. À long terme, il paraît évident que le succès des cryptomonnaies repose sur l'impossibilité des États, et des banques centrales, à maintenir une monnaie stable dans le temps.

[15] Moyenne des dépenses publiques dans 8 pays (*États-Unis, France, Japon, Royaume-Uni, Suède, Espagne, Italie, Inde*). Source : FMI, 2020.

Décentraliser les informations dans l'économie et réduire le monopole de l'État est devenu aujourd'hui presque une question de cohérence historique. Si les peuples continuent à se soumettre à la volonté des États, il arrivera nécessairement un moment où la centralisation sera telle que la moindre défaillance de gestion aura des conséquences irréversibles (dictature douce, déresponsabilisation accrue, despotisme, etc.). Nous avons aujourd'hui des États qui ont littéralement perdu le contrôle des finances publiques et toute mesure de l'action publique[16]. Ce qui est idéologiquement dangereux et historiquement tragique.
Les limites actuelles de nos systèmes économiques et sociaux sont assez claires et graduelles. Il existe à long terme un réel besoin de décentralisation chez les ménages et entreprises. Ce besoin de décentralisation s'explique pour deux grandes raisons. (1) Les limites monétaires et budgétaires (déficits chroniques, destruction monétaire inopérante, etc.) accentuent la chute de la vélocité, la hausse des marchés et les tensions sur les profits et salaires. (2) Cette centralisation des pouvoirs économiques et monétaires aboutit à une centralisation des pouvoirs politiques et idéologiques.
Ainsi, le problème graduel des monnaies traditionnelles est très certainement la centralisation. Par définition, une monnaie dépend d'un État ou d'une Banque centrale avec la législation correspondante. Le caractère national ou quasi national des monnaies traditionnelles peut être un frein à la mobilité des capitaux. Le XXIe siècle se traduit par une mobilité extrême des individus, des capitaux et des produits. Les États sont en concurrence entre eux, et les individus peuvent librement ou presque choisir l'État de leur choix, celui avec le meilleur rapport

[16] Voir livre *L'or et l'argent*, Thomas Andrieu aux Éditions JDH, sur la « bulle publique ».

qualité/prix (niveau de vie/fiscalité). Le fait de pouvoir librement choisir sa monnaie ne ferait que confirmer la perte naturelle de souveraineté des États.
La centralisation des monnaies traditionnelles en quelques institutions (Banques centrales, États, Banques commerciales) reste un problème majeur aujourd'hui. La forte mobilité des capitaux, des produits et des hommes aujourd'hui nécessite un besoin de concurrence et de rapidité plus fort. Ce que ne permettent pas les monnaies traditionnelles qui dépendent fortement des aléas institutionnels et des décisions centrales.
Car les premiers billets fournissent des rendements au même titre que les cryptomonnaies, car ces adaptations technologiques de la monnaie (imprimerie, Internet) sont d'abord fortement imparfaites et risquées, peu d'agents sont en capacité de l'utiliser de manière stable et profitable à court terme.

2. Le fonctionnement de l'industrie des cryptomonnaies

Pour traiter maintenant des aspects techniques, Blockchain et cryptomonnaies sont inséparables. Un retour dans l'Histoire est nécessaire afin d'appréhender au mieux les concepts que sont la blockchain et la cryptomonnaie. Remontons précisément en 1971 lorsque Nixon décide de mettre un terme à la suprématie de l'étalon-or. Le but affiché était d'apporter de la stabilité à la monnaie. Cependant, cette décision historique entraîna un contrecoup dont les effets font régulièrement l'actualité et dont la maîtrise est désormais devenue un enjeu central : l'inflation.
En effet, en conséquence à cette décorrélation, le dollar n'a plus depuis d'équivalent reflétant sa juste valeur.

Depuis cette période, la solution miracle se résume à faire tourner la planche à billets à plein régime pour subvenir au manque de liquidités, et le pouvoir d'achat de la population finit donc par en pâtir. L'hyperinflation de la République de Weimar – *bien qu'historiquement située en 1923, soit 48 ans avant la décision de Nixon* – est particulièrement représentative de ce qui pourrait bien menacer notre monde actuel : « une brouette de billets pour aller acheter du pain », une réalité du passé, mais aussi une métaphore de la perte du pouvoir d'achat de ces dernières années.
Or, l'arrivée de la cryptomonnaie et de la blockchain, plateforme sur laquelle celle-ci fonctionne, vient bouleverser les paradigmes existants. Son histoire commence lors de la crise bancaire et financière d'automne 2008 qui a ébranlé le monde. Au même moment, un certain Satoshi Nakamoto achetait le nom de domaine *bitcoin.org*. Pour l'anecdote, Satoshi Nakamoto figurerait aujourd'hui dans le classement des plus grandes fortunes du monde. Un rapport de Whales Alert, spécialisé dans l'analyse des gros portefeuilles en cryptomonnaies, précise que le créateur du Bitcoin possèderait plus de 1,1 million de Bitcoins (les consensus se situant entre 750 000 et 1 000 000 globalement). Cela correspondrait à une fortune de 60 milliards de dollars environ au prix de 60 000 $ le Bitcoin, ce qui le classerait dans le top 20 des fortunes mondiales de Forbes. Mais encore une fois, il est difficile d'être explicite quand tout ou presque est anonyme.
Ainsi, en 2009, le premier bloc de la Blockchain Bitcoin est créé. La création de Bitcoin, la première des cryptomonnaies, était une réponse quasi immédiate à la crise. Il est important de comprendre la volonté qui animait Satoshi Nakamoto, le mystérieux créateur de Bitcoin. Nakamoto voulait donc une monnaie internationale et décentralisée

que chacun pourrait utiliser sans discrimination possible et dont l'utilisation se voudrait totalement transparente par sa nature même. À ce stade, afin de mieux appréhender le concept de cryptomonnaie, il est important de définir ce qu'est une blockchain.

Une blockchain peut être imagée comme représentant un grand registre comptable immuable. C'est-à-dire qu'aucune des données contenues dans cette dernière ne peut être corrompue ou modifiée *a posteriori*. C'est un système peer to peer (pair-à-pair en français), où chaque personne composant le réseau assure en simultané sa sécurité et la validité des transactions. Chaque utilisateur garde des traces de toutes les transactions réalisées. Afin de confirmer une nouvelle transaction, les différents utilisateurs vérifient que tous ces « livres comptables » se correspondent. Les transactions sont regroupées dans des blocs qui représentent en quelque sorte les maillons d'une immense chaîne qu'il est possible de remonter jusqu'à sa création.

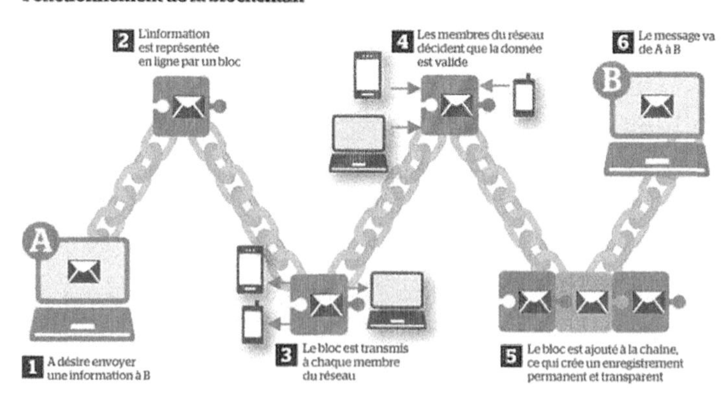

Figure 6 – Schéma du fonctionnement de la Blockchain
Source : le moniteur

Parallèlement, on parle de consensus comme s'agissant de la manière dont un bloc est validé. Sur la Blockchain

Bitcoin, c'est celui dit de « proof of work » (preuve de travail) qui est opéré par les mineurs du réseau permettant la validation et la création d'un bloc.
Chaque nouveau bloc dispose d'une serrure propre, ce n'est qu'une fois la clé correspondante trouvée qu'il pourra stocker à jamais les transactions. Lorsqu'un utilisateur du réseau trouve la clé, on dit qu'il a miné un bloc. En contrepartie de cette opération, le mineur (et le plus souvent aujourd'hui, le groupe de mineurs) est récompensé et gagne une certaine quantité de bitcoins fraîchement créés à cette occasion. Cette récompense de bloc n'est pas l'unique incitation poussant les mineurs à œuvrer pour le bon fonctionnement du réseau. En effet, les mineurs obtiennent également une récompense dans le cadre de la validation de chacune des transactions qu'ils confirment et sécurisent sur la blockchain Bitcoin.

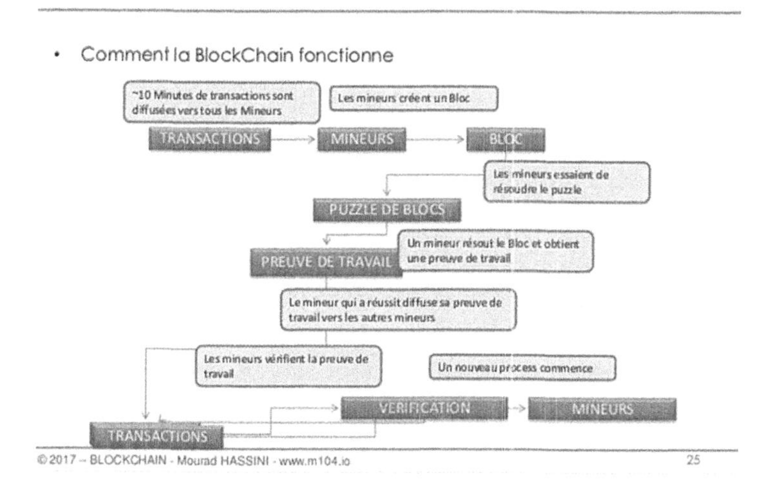

Vous l'aurez compris, la cryptomonnaie dépend et résulte de sa Blockchain. Afin d'enrichir la métaphore et de vous permettre de visualiser ce concept qui peut paraître abstrait.

De manière grossière, imaginons que nous soyons tous membres d'un noble et joyeux village nommé FIATLand. Dans le monde réel, si je souhaite faire l'acquisition d'une maison ou d'un bien immobilier, je vais devoir faire appel à deux intermédiaires *a minima* : d'une part, mon banquier qui exécutera le virement nécessaire au paiement du bien immobilier, et d'autre part, un notaire qui attestera de la vente. Ces deux acteurs jouent le rôle d'intermédiaires et donc de tiers de confiance, qui attestent ainsi du bon déroulé des opérations (d'achat du bien immobilier dans cet exemple, mais ça ne se limite pas du tout qu'à cela).
Or, dans le merveilleux village de FIATLand, tout repose sur une blockchain et une cryptomonnaie qui fait guise de moyen de paiement officiel, le FIATCoin. Si je veux acquérir une maison, je vais envoyer directement et sans intermédiaire les FIATCoins au vendeur de la maison. Je supprime donc l'intermédiaire du banquier. Mais comment, me direz-vous ? Eh bien, c'est assez simple finalement ! Imaginez que tout le monde dans le village va écrire dans son petit cahier que cette transaction de vente immobilière a eu lieu à telle heure, tel jour, pour un tel montant de X vers X (ici, je vulgarise, c'est évidemment plus complexe que cela afin de garantir un certain niveau d'anonymat). Et c'est en comparant ce qu'il y a dans tous ces petits cahiers (qui correspondent en réalité à ce que l'on appelle des nœuds) que l'on valide une transaction.
Si la majorité des cahiers sont identiques et qu'un certain nombre de règles établies dans ce qu'on appelle le protocole sont respectées, alors le réseau enregistre le transfert d'argent, qui se fera donc en *peer to peer* ! Dans le cas contraire, la transaction ne peut être réalisée. C'est cette condition de majorité identique qui permet l'abolition de la censure dans un registre blockchain, lui attribuant

ainsi le caractère d'immuabilité. L'horodatage des transactions permet également d'empêcher les fraudes. Si je souhaite corrompre le réseau, cela implique que je dois corrompre les inscriptions dans les petits cahiers de plus de la moitié des villageois. Imaginez donc la délicatesse d'entreprendre une telle initiative sur un réseau de plusieurs millions de personnes (attention, rien n'est impossible dans le monde de la crypto) !
Par ailleurs, l'argent, ici le FIATCoin, est stocké dans un portefeuille que l'on appelle wallet. Il existe des wallet physiques comme Ledger, ou numériques, le plus connu et utilisé étant probablement MetaMask. Ainsi, les cryptomonnaies stockées dans un wallet nous appartiennent véritablement, à la différence des classiques billets de banque, et cela leur prodigue ainsi l'appellation de monnaie des peuples en opposition aux monnaies des gouvernements.
À présent, illustrons par des exemples concrets l'utilisation de la Blockchain et des cryptomonnaies. Les populations vivant dans des pays en instabilité politique tels que le Venezuela voient le cours de leur monnaie, le bolivar ici, tendre constamment vers zéro. Cette hyperinflation a un impact considérable sur la population qui voit son pouvoir d'achat diminuer considérablement d'un jour à l'autre. La cryptomonnaie rencontre un grand succès auprès de ces populations, qui peuvent à présent protéger leur pouvoir d'achat, en convertissant par exemple leur bolivar en stablecoin, qui est une cryptomonnaie ayant pour caractéristiques sa stabilité et son absence de fluctuation.
En Chine, un viticulteur est en train de développer une blockchain afin de pouvoir tracer toutes les étapes de production et de distribution de son vin de haute qualité ! On pourra donc à l'aide d'un QR code avoir accès à toutes ces informations. Le monde du jeu vidéo pourrait se voir bou-

leversé par la technologie Blockchain et l'utilisation de la cryptomonnaie comme pour le projet The SandBox, qui est un métaverse où l'on peut acheter une partie de terrain afin d'y personnaliser l'expérience de jeux.
On peut également citer les marques de luxe qui, pour garantir l'authenticité de leurs objets, utilisent la blockchain et des solutions proposées par des boîtes comme Arianee. Plus institutionnel encore, la Société Générale s'est alliée à Tezoz afin de créer un crypto-euro sous l'égide de la Banque de France. Ou encore l'assurance Axa avec sa plateforme Fizzy fonctionne sur la Blockchain Ethereum. Elle permettait à ses souscripteurs d'être remboursés instantanément lorsque l'avion a plus de 2 heures de retard. Pour cela, le smart contract est connecté aux bases de données du trafic aérien mondial pour pouvoir constater en direct les retards des avions.

Qu'est-ce qu'un protocole ?

Le terme « protocole » s'insère dans le cadre de la DeFi, que l'on abordera au prochain chapitre, et il se réfère aux différents projets basés sur la blockchain. Plus précisément au site que l'on dit de Web3 qui propose des produits financiers décentralisés. Cependant, il peut aussi être utilisé comme un terme générique pour qualifier les différents consensus. Ainsi, chaque protocole décrit un fonctionnement de réseau Blockchain précis.

Qu'est-ce qu'une DAO ?

Une DAO est une « Organisation Autonome Décentralisée ». En général, lorsqu'un protocole se lance, la DAO du protocole en question prend vie par la même occasion. Nous y reviendrons ; elle est composée des personnes détenant la cryptomonnaie du protocole et qui ont décidé de geler leur fonds.

Ce système cherche à répondre à deux buts : le premier, d'accéder à un droit de gouvernance qui permet de prendre part aux décisions associées aux protocoles. Le deuxième objectif est souvent un but économique, puisque le fait de geler ses fonds, aussi connu comme du « staking », permet de générer des rendements.

Quelle est la différence entre un coin et un token ?

Ces deux termes suscitent un vif débat au sein de la communauté ! Admettons les définitions suivantes comme vraies jusqu'à la fin de ce livre... D'une part, un coin est une cryptomonnaie associée à la création d'une blockchain. Cette catégorie comprend essentiellement les altcoins et les stablecoins. Ainsi, on dit généralement que l'altcoin représente toute cryptomonnaie qui n'est pas Bitcoin. Un stablecoin est une cryptomonnaie dont la valeur a pour but d'être stable, elle est basée sur un autre actif, par exemple, 1 DAI est toujours égal à 1 dollar.
Un token correspond à la personnalisation d'un coin, il représente la création de valeur par reflet du coin en question (il est indexé sur un coin existant). Il est le plus souvent utilisé dans les Dapps (Decentralize Applications). Ainsi, un token ERC 20 correspond à un standard de tokens fonctionnant sur la Blockchain du Coin Ethereum. Il existe une multitude de tokens provenant de blockchains différentes (NEO, EOS, Stellar, Solana...).

3. Les consensus, un mécanisme à part qui peut prendre bien des formes

Lors de la précédente introduction à la blockchain et à la cryptomonnaie, nous avons brièvement parlé de Bitcoin et de son consensus : la PoW (Proof of Work), qui se traduit par la preuve de travail.

À présent, afin d'expliquer **comment fonctionne un consensus**, commençons par sa définition propre : procédure qui consiste à dégager un accord sans procéder à un vote formel, ce qui évite de faire apparaître les objections et les abstentions. Dans un système décentralisé tel que la blockchain, afin de permettre à la communauté de s'autoréguler, un consensus est essentiel. Il permet d'assurer la vérification des transactions, mais aussi de générer de la valeur. On entend souvent parler du minage de Bitcoin (BTC), c'est, en fait, une conséquence du consensus Bitcoin. Dans le but de faciliter la compréhension des prochains consensus, un petit lexique s'impose ci-dessous.

– ***Bloc :*** un bloc regroupe **un ensemble de transactions** horodatées et validées.

– ***Hash :*** le hash survient lors du « hachage » qui est un procédé cryptographique permettant d'associer à **chaque transaction un identifiant unique de 64 caractères**, suite à l'utilisation de la fonction SHA 256.

– ***Mineurs :*** les mineurs sont les personnes **validant l'authenticité des transactions** et permettant ainsi **la création de nouveaux blocs**.

– ***Blockchain :*** la blockchain, ou bien en français « suite de blocs », peut être perçue comme **un grand registre comptable immuable**, c'est-à-dire qui ne peut être corrompu. Elle est décentralisée !

– ***Décentralisée :*** décentralisée signifie que l'ensemble des informations liées à la blockchain ne sont pas gardées par un tiers mais **accessibles par tous**. Aucun acteur précis **ne possède une blockchain**, la notion d'**autorégulation** est intimement liée à la **décentralisation**.

Bitcoin (BTC) : la première blockchain, la première cryptomonnaie et le premier consensus

Satoshi Nakamoto, encore inconnu aujourd'hui, créa Bitcoin et ouvrit, sans le savoir, la marche à un écosystème blockchain en constante expansion 10 ans plus

tard. La source de la réussite du Bitcoin et plus largement de la Blockchain repose sur le protocole de consensus qu'il a réussi à mettre en place. En effet, comment s'assurer que les transactions soumises à la blockchain sont véridiques ?
Dans le cas où Velleyen a 10 BTC (Bitcoin) et décide d'en envoyer 15 à son ami Gaëtan, le rôle des mineurs est de vérifier que Velleyen a bien 10 BTC : si tel est le cas, ils vont valider la transaction. Dans le système traditionnel, la banque centralise les informations, elle peut ainsi définir directement le solde d'un client. Dans un environnement blockchain, les mineurs vont quant à eux fonder leur accord en comparant les différentes copies de la blockchain, car le solde n'est pas stocké, mais l'historique de l'ensemble des transactions permet de le retrouver. Il faut savoir qu'un nouveau bloc est généré toutes les 10 minutes. Les mineurs qui, vous l'aurez compris, sont des nœuds du réseau sont récompensés lorsqu'ils découvrent un nouveau bloc. En effet, ce nouveau bloc contient des ressources réservées aux mineurs : 6,25 BTC qui leur sont accordés en guise d'incitation. À noter que les mineurs sont également destinataires des frais de transactions appliqués aux utilisateurs.
Mais alors, comment miner concrètement un bloc ? Miner un bloc signifie trouver la réponse à *un puzzle informatique*. Le premier qui trouve la solution est le grand gagnant et produit le bloc. Cependant, la résolution de ce puzzle nécessite un équipement spécialisé et beaucoup d'énergie puisqu'il faut alimenter cet ordinateur. Il convertit finalement leur énergie électrique en Bitcoin, voilà un fait qui permettra d'expliciter la création de valeur au sein de Bitcoin ! C'est la *proof of work* qui permet de lier chaque bloc entre eux.

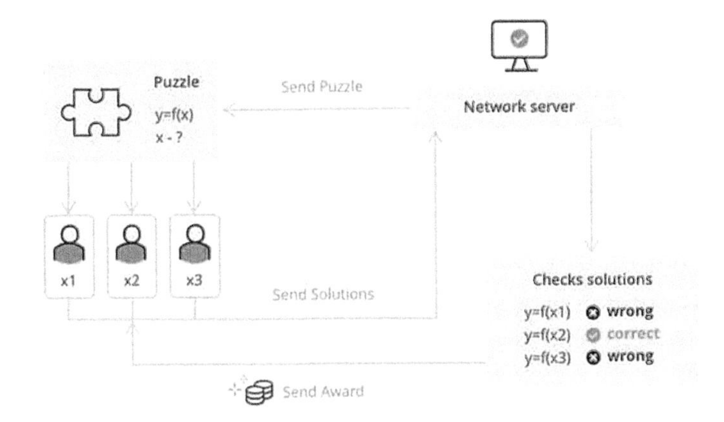

Dans ce système, reste-t-il un risque ? Le seul moyen de tromper la blockchain Bitcoin et ce consensus qu'est la preuve de travail/proof of work est de prendre le contrôle du réseau à 51 %. En effet, dans ce cas-là, il est alors possible de valider de fausses transactions en faisant diverger la chaîne de blocs principale et en la minant avec 51 % du réseau pour *créer artificiellement une nouvelle chaîne de blocs* plus longue. Malgré tout, ce procédé ne concerne qu'une transaction ou un ensemble de transactions. Il ne peut remettre en cause la blockchain et nécessite un investissement colossal. La blockchain Bitcoin a fait ses preuves puisqu'elle n'a jamais été touchée par une attaque 51 %. Son point faible vient de son *absence de véritable scalabilité* : elle ne peut faire que 7 transactions par seconde.

La proof of stake ou la solution alternative

Contrairement à la proof of work, *la proof of stake* ou « preuve d'enjeu », ne fait pas intervenir de mineurs, mais *des validateurs.* La première nuance est qu'il n'est pas absolument nécessaire d'avoir du matériel spécialisé pour authentifier des transactions et produire des blocs.

Il suffit d'un simple serveur et de mettre des fonds sous séquestre. On appelle ce procédé le « staking », geler ses fonds afin de pouvoir potentiellement être éligible à la validation et à la création d'un nouveau bloc. Cette sélection se fait aléatoirement au prorata de la quantité de cryptomonnaies stakées. *Ce facteur aléatoire permet d'assurer la décentralisation.* De plus, un des avantages de la proof of stake est son *faible coût en énergie* comparé à la PoW (proof of work), entraînant *une rentabilité plus élevée*, un risque moins grand pour les validateurs et *une sécurité accrue.*

En effet, pour mener une attaque 51 %, il faudrait acquérir 51 % de l'ensemble de la supply de la cryptomonnaie, ce qui, financièrement, nécessiterait des fonds conséquents. De plus, l'attaque serait difficilement rentable, puisque le prix de la cryptomonnaie chuterait aussitôt. Tous les validateurs ont donc intérêt à assurer la sécurité du réseau afin de conserver une valeur au pire égale aux fonds qu'ils ont séquestrés.

Cependant, un problème peut exister : le *nothing to stake.* Il faut ici se placer dans le cas d'un fork de la blockchain, c'est-à-dire de la création d'une chaîne de blocs parallèle. Les validateurs auraient tout intérêt à engager leur fonds sous séquestre (stake) sur deux chaînes parallèles, et ainsi obtenir une espérance de gains plus grands.

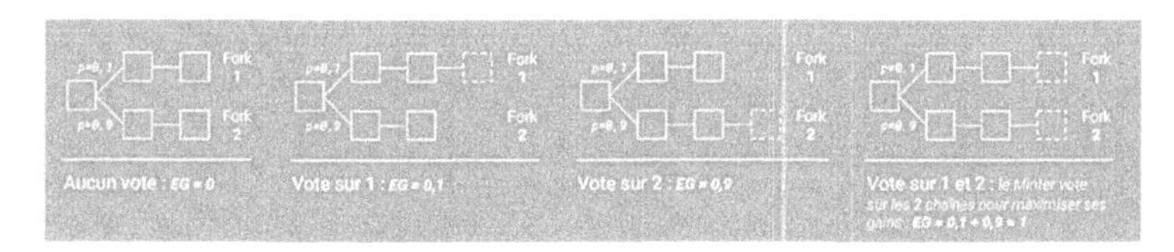

S'ils faisaient ainsi au regard de l'ensemble du réseau, il en résulterait une lourde pénalité se traduisant par la perte d'une partie des fonds. Le même sort est réservé à ceux décidant de forger la chaîne minoritaire. On nomme

cette pénalité : *le « slashing »*. Récemment, nous parlons beaucoup d'Ethereum 2.0 ; cette grande mise à jour est due au changement de consensus de la PoW à la PoS. On rappellera qu'Ethereum est la 2e plus grande cryptomonnaie : sa blockchain sera l'un des sujets phares du Chapitre 2 où l'on abordera la finance décentralisée.
Les limites de la PoS (Proof of Stake) : la PoS sous sa forme initiale permet à chaque participant du réseau de devenir *validateur des transactions*. La probabilité que le validateur ne soit pas en ligne étant potentiellement incertaine, le risque d'arrêt du fonctionnement du réseau est élevé. De plus, sans surveillance des pairs, le pouvoir de nuisance d'un attaquant est proportionnel à ses fonds. Dans le but d'améliorer la PoS, la *DPoS (Delegate Proof of Stake)*, soit la preuve d'enjeu, déléguée a vu le jour.

DPoS, le perfectionnement de la PoS dont EOS est le porteur

Les 2 consensus les plus actifs en termes de nœuds précédemment vus, PoW et PoS, nous permettent à présent d'aborder plus en détail la DPoS.
Le consensus DPoS est divisé en deux parties : choisir un groupe de *producteurs de blocs* et programmer leur *production dans le temps*. Le processus d'élection par vote permet d'assurer que les parties prenantes (détenteurs) de la monnaie soient en définitive au pouvoir, car ce sont eux qui seront en perte si le réseau perd en fluidité et en efficacité. En effet, les validateurs sont choisis par vote au prorata du nombre de jetons que chaque membre détient. Ainsi, si je détiens 1 jeton, j'aurai par exemple 10 votes, l'utilisateur ayant 10 jetons en aurait 100. La manière dont les validateurs sont élus a un petit impact sur comment le consensus performe chaque minute. On s'intéresse ici à la façon dont le consensus est

atteint sur le réseau après que les producteurs de blocs ont été déterminés. Lors de la production de nouveaux blocs, on parle de forgeage.
Par le biais d'exemples, nous allons déterminer comment la DPoS fonctionne sous plusieurs conformations du réseau. Ces exemples servent à illustrer en quoi la DPoS est robuste et difficile à briser malgré les forks qui peuvent survenir.

Opération normale... Pendant un fonctionnement normal, les producteurs de blocs produisent tour à tour un bloc toutes les 3 secondes. Considérant qu'aucun ne rate son tour, ils vont ainsi fournir la chaîne la plus longue possible. Si les producteurs échouent à produire un bloc durant l'intervalle de temps qui leur est consacré, tout autre bloc fourni en dehors de cet intervalle sera invalidé.

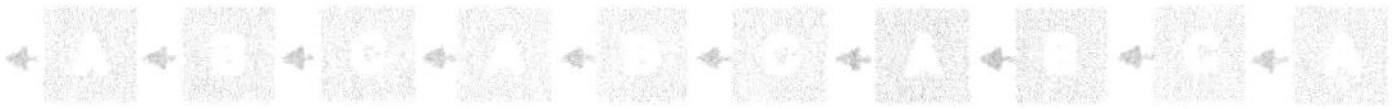

Fork minoritaire... Jusqu'à 1/3 des nœuds peuvent être malicieux ou dysfonctionner, créant ainsi un *fork* (*bifurcation*) minoritaire. Dans ce cas, le fork minoritaire produira seulement un bloc toutes les 9 secondes alors que le fork majoritaire produira 2 blocs toutes les 9 secondes. Une fois de plus, les 2/3 des nœuds, à savoir les nœuds honnêtes, auront toujours la chaîne la plus longue, donc la chaîne majoritaire.

Double production par des chaînes minoritaires... La minorité peut tenter de produire un nombre illimité de forks, mais tous ces forks seront plus courts que la chaîne majoritaire, car la minorité est limitée dans l'agrandissement de la chaîne minoritaire.

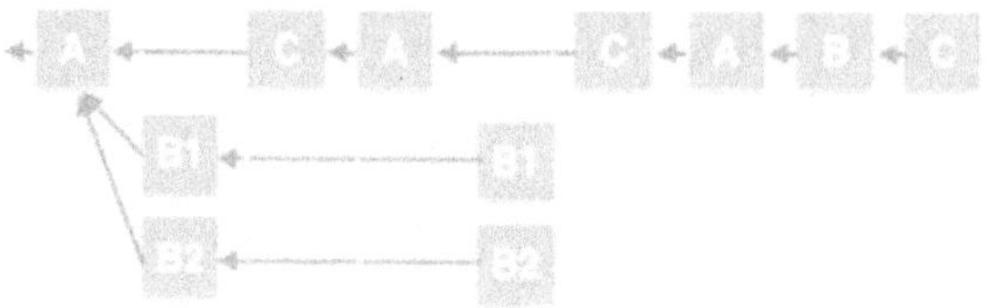

Fragmentation du réseau... Il est tout à fait possible que le réseau soit fragmenté/déconnecté. Dans ce cas, aucun fork n'aura une majorité de producteurs de blocs (supérieur à 2 personnes dans cet exemple). Ainsi, la chaîne la plus longue sera alors la chaîne de la plus grande minorité. Quand la connexion au réseau est restaurée, les plus petites minorités vont naturellement adopter la chaîne la plus longue et l'ambiguïté du consensus sera levée.

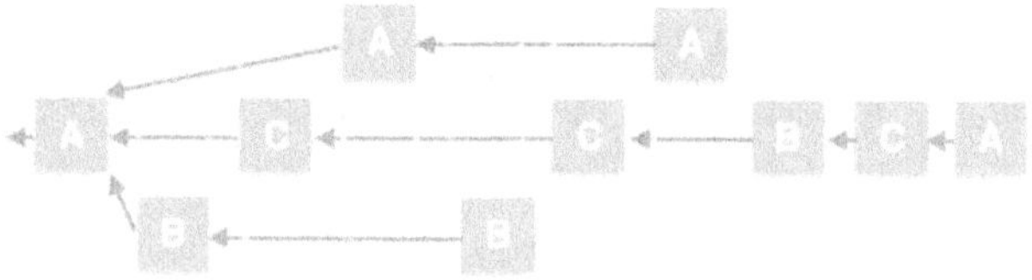

Il est possible dans ce cas qu'il y ait 3 forks avec des chaînes les plus longues de tailles similaires. Dans ce cas, les producteurs du troisième (plus petit fork) vont briser l'indécision quand ils se reconnecteront au réseau. Il y a *un nombre impair de producteurs de blocs,* donc il est impossible de maintenir durablement une indécision (il n'y aura jamais de 50/50). Plus tard, nous verrons que le *shuffling* (*brassage*) des producteurs de blocs qui permet de rendre pseudo-aléatoire l'ordre de passage des producteurs assure le tie breaking même si deux forks disposent du même nombre de producteurs de blocs. En effet, les forks grandiront avec des vitesses différentes, permettant ainsi à un fork de prendre le dessus sur l'autre.

Le dernier bloc irréversible... Dans le cadre d'une fragmentation/déconnexion du réseau, il est possible pour de multiples forks de continuer à grandir pour une période de temps prolongée. Dans la durée, *la chaîne la plus longue gagnera*, mais les observateurs requièrent un moyen de savoir avec certitude quand un bloc fait absolument partie de la chaîne grandissant le plus vite. Cela peut être déterminé par confirmation de 2/3 + 1 des producteurs de blocs. Dans le diagramme ci-dessous, le bloc B a été confirmé par C et par A, qui représentent *2/3+1 des producteurs*, nous pouvons ainsi en déduire qu'aucune autre chaîne ne serait possiblement plus longue si au moins 2/3 des producteurs sont honnêtes.

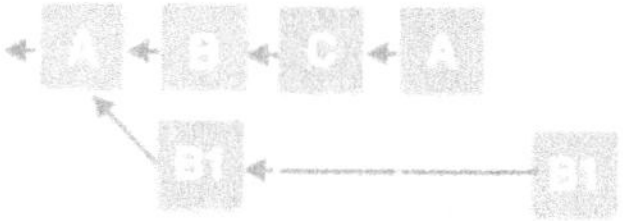

Cette règle est similaire à la règle des 6 blocs de confirmation pour le Bitcoin (BTC). Des individus intelligents peuvent provoquer une séquence d'évènements où deux nœuds auraient deux blocs irréversibles terminaux différents. Ce cas de figure nécessite que l'attaquant dispose d'un contrôle total du délai de communication entre nœuds et de ne pas utiliser ce contrôle une fois, mais avec deux minutes de différence. Les chances qu'une attaque se produise sur un réseau de DPoS sont proches de 0, avec des conséquences économiques insignifiantes.

Absence de Quorum chez les producteurs... Dans le cas rare où le quorum (nombre de producteurs exigés) de producteurs ne serait pas satisfait, il est possible pour la minorité de continuer à produire des blocs. Dans ces blocs, les partis prenants peuvent *inclure des transactions pour changer leurs votes.* Ces votes peuvent désigner un nouveau paramètre de producteurs et restaurer la participation à la production de blocs à 100 %. Quand cela arrive, la chaîne de la minorité peut éventuellement prendre le dessus sur toutes les autres chaînes opérant avec moins de 100 % de participation. Durant tout ce processus, tous les observateurs auront connaissance que l'état du réseau est en train d'évoluer avant qu'une nouvelle chaîne émerge avec 67 % de participation. Ceux qui choisissent d'effectuer une transaction sous ces conditions, et ainsi changer leurs votes, encourent un risque similaire à ceux qui acceptent avec moins de 6 confirmations. Ils agissent ainsi en connaissance de cause et savent qu'il demeure une faible probabilité que le consensus puisse ultimement opter pour un fork différent. En pratique, cette situation est beaucoup plus sécurisante que d'accepter des blocs avec moins de 3 Bitcoin confirmations.

Corruption de la majorité des producteurs... Si la majorité des producteurs de blocs deviennent corrompus, ils peuvent ainsi produire un nombre illimité de forks. Chacun de ces forks semblera progresser avec la confirmation de la majorité 2/3. Dans ce cas, l'algorithme du *dernier bloc inaltérable* reviendra à l'algorithme de la chaîne la plus longue. La chaîne la plus longue sera celle approuvée par la majorité la plus large, qui sera décidée par la minorité des nœuds honnêtes restants. Ce genre de comportement ne pourrait pas durer, car les utilisateurs remplaceraient rapidement leur vote vers ces producteurs honnêtes.

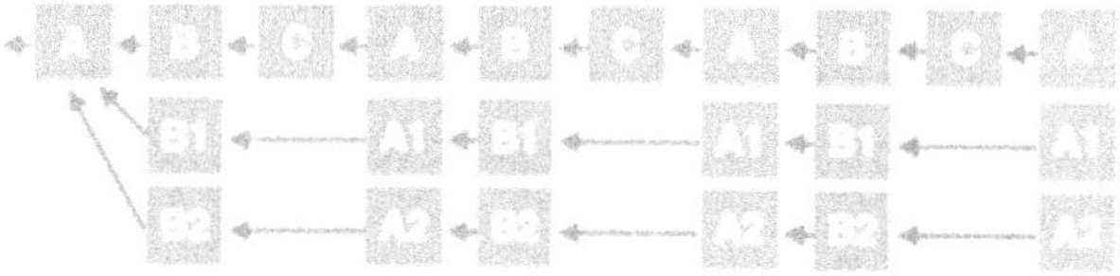

TaPoS (Transaction as Proof of Stake), transaction à la place de la preuve d'enjeu... Quand des utilisateurs signent une transaction, ils le font avec une certaine *supposition de l'état de la blockchain*. Cette hypothèse est basée à partir de leur perception des blocs récents. Si le consensus de la chaîne la plus longue change la chaîne majoritaire, cela pourrait éventuellement invalider l'hypothèse faite par l'utilisateur lorsqu'il a consenti à la transaction. Avec le *TaPoS*, toutes les transactions *incluent un hash d'un block récent* et sont ainsi considérées comme invalides si ce block n'existe pas dans l'historique de la chaîne. Tous ceux qui signent une transaction sur un fork orphelin verront leur *transaction invalide* et incapable de migrer sur la chaîne principale.
Un effet secondaire de ce processus est la sécurité avec les attaques longue distance qui tentent de générer une chaîne alternative. Les stakeholders en cause confirment directement la blockchain à chaque fois qu'ils réalisent une transaction. Au fil du temps, tous les blocs sont confirmés par les stakeholders et ceci est quelque chose qui ne peut être reproduit dans une chaîne forgée.

Le brassage de producteurs déterminé... Dans tous les exemples que nous avons illustrés, nous avons montré une planification aléatoire des producteurs de blocs. En réalité, l'ordre de production est brassé tous les N blocs, où N est le nombre de producteurs de blocs. Cette randomisation (caractère aléatoire) assure que le producteur B n'ignore pas toujours le producteur A et qu'à chaque instant, il n'y ait pas de multiples forks avec le même nombre de producteurs, permettant ainsi la prise de décision par *tie breaking*. D'autres consensus utilisent la même dynamique que la *DPoS* comme la *PoA*.

Qu'est-ce que la PoA (Proof of Autority) ?

La « PoA », ou « preuve d'autorité », reprend le même principe que la DPoS en ne désignant qu'un nombre restreint de personnes qui gèrent la création de blocs, et qui peuvent interagir avec la blockchain. Ici, pas besoin de séquestre, les personnes sont choisies et connues. Un cas d'utilisation de ce système est dans le secteur bancaire avec le JPMcoin, issu de la célèbre banque JP Morgan. Ce système assure une sécurité maximale, et des coûts très faibles permettant *une exploitation privée de la blockchain*. Elle est notamment utilisée afin de fluidifier et faciliter la gestion des mouvements de fonds chez JP Morgan. Un des gros problèmes de ce consensus qui l'empêche de s'étendre au sein de l'écosystème blockchain est sa grande centralisation. Le pouvoir n'est gardé que par une poignée de personnes. Ce qui ne rentre pas en accord avec les valeurs que souhaite diffuser la communauté blockchain.

4. Ce que les cryptomonnaies vont changer dans nos pratiques économiques

La Blockchain derrière les cryptomonnaies

Les contrats, les transactions et leur enregistrement sont au cœur de nos économies et sont la garantie suprême de la propriété et des libertés. De tout temps, ces systèmes ont profondément évolué. Des contrats oraux aux contrats sur tablettes en passant au papier... Ce n'est qu'à la fin du XXe siècle que les contrats numériques font leur apparition. Cela a permis de générer des gains de produc-

tivité considérables avec la démocratisation quasi immédiate des supports informatiques. Parmi ces innovations, l'e-mail. L'e-mail a constitué une grande avancée informatique.
Dans une certaine mesure, la comparaison de la Blockchain avec l'e-mail est très pertinente. Au début utilisé par un petit réseau d'initiés, l'e-mail a révolutionné les échanges avec une liaison directe entre membres du réseau, mettant fin à une série d'intermédiaires papier. La Blockchain pour Internet est un peu ce que l'e-mail était au papier. C'est ainsi que la très célèbre Harvard Business Review auprès des dirigeants qualifie la Blockchain.
La Blockchain offre la possibilité de retranscrire tous les contrats et transactions classiques à travers un code informatique, plus rapide, plus efficace. Les juristes, les courtiers, les banquiers, ne seraient alors plus utiles. Les réticences à une telle technologie proviennent souvent du fait que tout ou presque est invisible et dématérialisé. Les cryptomonnaies sont une véritable innovation économique, bulle spéculative ou non. Les cryptomonnaies augmentent indirectement la productivité et répondent à une demande des agents économiques. En 2018, l'Université de Cambridge a estimé à 35 millions le nombre d'utilisateurs de Bitcoin. C'était près de 100 millions début 2020.
En premier lieu, les cryptomonnaies ont cet avantage absolument considérable de pouvoir augmenter significativement la rapidité, la sécurité et la simplicité des échanges. La réalisation de ces transactions ne nécessite aucun intermédiaire direct (pas de banque), mais nécessite inévitablement pour ce faire l'utilisation du numérique. Ensuite, les cryptomonnaies permettent de répondre à un besoin d'internationalisation. Les cryptomonnaies peuvent être échangées dans tous les pays du

monde ou presque, ce qu'aucune monnaie d'État ne permet à ce jour. Le fait qu'il n'y ait pas d'État ni d'entreprise particulière derrière la plupart des plus grandes cryptomonnaies est par nature *un avantage comparatif.*

La diffusion de ces monnaies numériques n'est également possible que par la présence préalable d'une économie digitalisée. Ce qui explique en grande partie la répartition des cryptomonnaies à travers le monde et les âges. Effectivement, en 2015, 56 % des utilisateurs de Bitcoin avaient entre 18 et 34 ans. Les jeunes utilisent majoritairement ces nouveaux moyens de paiement. En 2021, on peut estimer que le nombre de jeunes dans le monde qui utilisent au moins du Bitcoin est très probablement supérieur à 50 millions. Ce qui est considérable.

Évidemment, les cryptomonnaies doivent en grande partie leur succès à l'image plus qu'à leur utilité. Nous y reviendrons en dernière partie, les cryptomonnaies ont un caractère spéculatif. Néanmoins, le fait que de plus en plus d'agents utilisent les cryptomonnaies pour effectuer leurs paiements implique un phénomène de *capitalisation par l'échange.* On entend ici par « capitalisation par l'échange » le phénomène par lequel les paiements reçus en monnaie donnée sont gardés sur le compte, sans changement de devise. Dit autrement, capitaliser lors de l'échange revient (dans notre cas) à conserver durablement les paiements reçus en cryptomonnaies. Cette pratique est extrêmement répandue chez les utilisateurs de cryptomonnaies.

Ainsi, des dizaines de millions d'utilisateurs reçoivent des paiements en cryptomonnaies, sans pour autant les vendre par la suite, ce qui implique une hausse de la capitalisation globale des cryptomonnaies. Deux explications à cette capitalisation par l'échange peuvent être distinguées : (1) le rejet des monnaies traditionnelles et (2) l'espoir de gain. L'espoir de gain et l'indifférence monétaire incitent les agents à garder durablement les sommes obtenues en cryptomonnaies. Ce processus économique fait monter le prix et accentue inévitablement le phénomène de capitalisation... Plus brièvement formulé, il y a un processus effectif d'éviction des monnaies traditionnelles.

Tant que le nombre d'utilisateurs de cryptomonnaies augmente, le phénomène de capitalisation par l'échange s'intensifie, et la capitalisation globale augmente inévitablement. Un atout de confiance dont ne disposent pas les monnaies classiques. Enfin, nous l'avons traité dans la partie précédente, il y a une différence entre Blockchain et cryptomonnaies. La Blockchain peut fonctionner sans les cryptomonnaies, mais les cryptomonnaies ne peuvent pas fonctionner sans la Blockchain. La Blockchain est initialement la technologie sous-jacente aux cryptomonnaies. La Blockchain repose sur un système décentralisé. Plusieurs agents mettent à disposition leur matériel pour le réseau Blockchain. Ce réseau forme un maillage de données, ce qui les rend plus sécurisées et plus interconnectées.

La Blockchain permet donc globalement d'augmenter la rapidité et la sécurité dans le traitement des données. Il s'agit donc bien ici d'une innovation débouchant sur des gains de productivité. Ces gains de productivité sont optimums pour des économies déjà très digitalisées. Concrètement, si la Blockchain devait se diffuser massivement, cela aboutirait à un monde plus décentralisé. Les ménages et les entreprises échangeraient avec moins d'intermédiaires indirects, plus d'anonymat, de rapidité et de sécurité. La gestion des données d'entreprise serait plus efficace et la blockchain permettrait via les cryptomonnaies de faciliter les paiements, les emprunts et prêts, etc.

Au niveau de l'entreprise, les cryptomonnaies ont cet avantage d'être à la fois des actifs et un moyen de paiement et d'épargne, et récemment de financement. Comptablement, nous pourrions même parler de fusion entre actifs et trésorerie. De son côté, la Blockchain est particulièrement efficace pour ce qui relève de la gestion et du partage de données. Au sein d'une entreprise avec un grand nombre d'acteurs, il peut s'agir de la comptabilité pour bénéficier d'un retracement, voire d'une gestion de trésorerie, des aspects commerciaux pour enregistrer les nouveaux contrats, des aspects juridiques pour sécuriser certains documents, etc. De plus, on notera que certains modèles de financement récents se basent sur une combinaison des actions et des cryptomonnaies, ce qui révolutionne la finance traditionnelle et renforce le caractère communautaire des entreprises. Ainsi, la Blockchain ne changera pas beaucoup de choses dans les secteurs agricoles, artisanaux ou autres. À l'inverse, les entreprises du numérique, des transports, des médias et autres sont des secteurs qui bénéficieraient au maximum des gains de productivité tirés de la Blockchain et de sa diffusion en entreprise. Dès lors, plusieurs domaines pourraient se trouver profondément bouleversés par la technologie Blockchain :

– Les paiements. Les cryptomonnaies doivent en grande partie leur succès au fait qu'elles permettent des transactions rapides, sans intermédiaire et sans contrôle accru des États.

– Les prêts et emprunts (DeFi).

– La gestion de données (juridiques, comptables, médicales[17]...).

– Le marketing d'entreprise avec la vente en ligne de produits exclusifs et uniques (NFT), les moyens de communication, le modèle d'actionnariat, etc.

---

[17] Une excellente approche de Jordan Tarlet a été réalisée à ce sujet.

– Les systèmes communautaires comme dans le sport (sponsors communautaires, etc.).

Sécurité, fiscalité, et cryptomonnaies

Les cryptomonnaies sont une nouvelle classe d'actifs qui s'est très fortement répandue chez les institutionnels, banques et gestionnaires. Dès lors, les cryptomonnaies côtoient les actions, les obligations ou encore les métaux précieux et produits dérivés dans les portefeuilles. L'enjeu de la sécurité est central. De nombreux scandales sur les cryptomonnaies ont éclaté concernant l'insuffisante ou l'extrême sécurité des cryptoactifs. Il est donc important de distinguer les différentes législations et les différentes manières de conserver ses actifs numériques. De toute évidence, la sécurité accordée à son portefeuille n'est pas la même pour tous les investisseurs ni pour tous les montants.

La propriété est un droit fondamental qui assure à une entité la possibilité de jouir de ses avoirs. Pour assurer la propriété, les avoirs doivent être sécurisés pour éviter tout abus de propriété. En droit français, le gouvernement précisait en décembre 2020 que « *les cryptomonnaies n'ont pas de statut juridique clair et ne sont pas reconnues comme des instruments financiers. De ce fait, les cryptomonnaies ne sont pour l'heure pas réglementées* ». Cependant, les actifs numériques sont bien imposables alors que la juridiction reste obscure.

La sécurité et la propriété sont deux principes indissociables. Le fait que les cryptomonnaies soient des actifs virtuels ne change que peu de choses. Le stockage de l'or physique est l'emblème de la sécurité financière. D'une part, la manière de stockage est centrale (coffre, etc.). D'autre part, pour les grandes quantités, le lieu de stockage est important. Ainsi, les lieux privilégiés pour le stockage d'or physique sont généralement la Suisse ou

encore Singapour. La législation dans les autres pays limite les libertés de marché, et peut même laisser place à une confiscation des actifs. La sécurité est une question aussi bien fiscale que matérielle et juridique. Les cryptomonnaies suivent des critères de sécurité similaires chez les particuliers et les gestionnaires.
Les cryptomonnaies sont interdites dans quelques pays, principalement des pays peu développés ou au penchant autoritaire. On peut notamment citer le Bangladesh, le Pakistan, l'Équateur, la Bolivie, etc. Cependant, certains pays comme le Qatar (contre le terrorisme) ou l'Algérie (contre l'évasion fiscale) ont également banni la détention de cryptomonnaies. Le Japon ou la Suisse, et évidemment le Salvador, sont parmi les seuls pays à ce jour à considérer les cryptomonnaies comme un moyen légal de paiement.
Par ailleurs, un récent rapport de l'OCDE publié en 2020[18] montre que les cryptomonnaies sont imposées différemment. La majorité des pays du monde considèrent les cryptomonnaies comme des actifs intangibles tandis que d'autres les considèrent comme des instruments financiers. Ainsi, la plupart des pays imposent les cryptomonnaies sur les successions (*France, Royaume-Uni, États-Unis, Corée, Pays-Bas, Irlande, Islande, Allemagne, etc.*). De plus, les cryptomonnaies sont comptabilisées dans l'impôt sur la fortune en Suisse, au Luxembourg, en Belgique, en Espagne ou encore en Norvège.
Mais alors, qu'en est-il de la fiscalité des cryptomonnaies en France ? En France, en 2021, la fiscalité sur les cryptomonnaies demeure incertaine et très variable. Néanmoins, le taux appliqué sur les plus-values (les gains) reste le même que pour les plus-values sur ac-

---

[18] *Taxing Virtual Currencies: An Overview of Tax Treatments and Emerging Tax Policy Issues*, 2020.

tions, avec une imposition de 30% pour les particuliers et 70% pour les institutionnels. On notera ainsi qu'il faut remplir le formulaire principal Cerfa n°2042 en inscrivant le montant des plus-values imposables ; le Cerfa n°2086 pour détailler l'ensemble des opérations de plus-values ; et enfin le Cerfa n°3916-bis pour déclarer la présence de compte à l'étranger, ce qui concerne les clients de la plupart des plateformes d'échange en cryptomonnaies (Binance, Coinbase, SwissBorg et d'autres...).
Le fait est que les cryptomonnaies ont cependant un régime fiscal différent de la fiscalité boursière. Plusieurs textes de lois vont récemment dans le sens de la considération des plus-values comme des bénéfices non-commerciaux, au titre d'opérations boursières classiques. En considérant les cryptomonnaies comme des bénéfices non-commerciaux, cela permettrait de réduire les impositions outrancières avec la possibilité pour le contribuable de choisir entre l'impôt sur le revenu ou l'impôt sur les sociétés. Mais les considérations juridiques entre le Parlement et la Commission des Finances sont encore très différentes. Ainsi, les NFT, sur lesquels nous reviendrons, sont encore l'objet d'un flou juridique. Un amendement à l'automne 2021 prévoyait par exemple d'appliquer un taux d'imposition sur les plus-values en fonction du sous-jacent du token (art, immobilier, etc.).
Cependant, les écarts d'impositions restent considérables dans le monde. La taxe sur les gains tirés du capital en cryptoactifs ne s'applique pas à Singapour, en Suisse (hors entreprises), au Portugal, à Hong Kong, aux îles Caïmans, en Allemagne (*plus d'un an de détention*), etc. Pour de nombreuses entreprises, la relation juridique et fiscale des États face aux cryptomonnaies est déterminante pour assurer la sécurité des actifs détenus.

Pour le cas du Bitcoin, une cryptomonnaie est sécurisée par deux clés numériques. Une première clé est publique et atteste de l'unicité de la cryptomonnaie détenue dans le réseau informatique. Ensuite, une deuxième clé privée permet au détenteur de conserver ses avoirs et d'assurer la « propriété » des cryptomonnaies en question. La clé privée permet ainsi d'accéder à ses cryptomonnaies en portefeuille. La clé publique permet à l'utilisateur de se faire envoyer d'autres cryptomonnaies, un peu comme le RIB pour un compte bancaire classique. Une clé privée est générée aléatoirement, par une suite de 256 chiffres de 0 ou 1. La conservation de la clé privée est tout l'enjeu derrière la sécurité des cryptomonnaies. Le génie de la cryptomonnaie est de fusionner directement les systèmes de paiement numérique (virements, etc.) avec la monnaie elle-même. En cela, les cryptomonnaies répondent à un besoin d'utilisation, encourageant mondialisation, liberté des agents et décentralisation des moyens d'échange.

L'enjeu de la sécurité repose donc sur la conservation la plus optimale de ses clés privées. Une possibilité est de recourir à un *hardware wallet*, c'est-à-dire un porte-feuille très sécurisé. Il est ainsi possible de conserver ses clés privées sur un appareil physique complètement indépendant de votre téléphone ou votre ordinateur (« ledger », Trezor, etc.). Sur cet appareil, la clé privée est sécurisée par un code PIN de 4 à 8 chiffres. Pour effectuer des transactions, il suffit alors de connecter son *hardware wallet* à son téléphone ou son ordinateur.

La sécurité est aussi assurée par l'utilisation d'une liste de 12 ou 24 mots. Cette liste de mots permet l'accès au compte (*récupération de son portefeuille sur une application, etc.*). Il est donc impératif d'assurer la forte sécurité de cette liste de mots, surtout pour des portefeuilles conséquents. Certains utilisateurs conservent cette liste de mots dans des coffres à domicile, dans une banque ou une

institution non financière. Pour les utilisateurs d'applications, certaines plateformes en cryptomonnaies favorisent un degré plus ou moins important de sécurité (Swissquote, etc.). La sécurité des applications détermine également la sécurité globale du portefeuille, en particulier chez les indépendants aux comptes moyens et petits.
Le marché des cryptomonnaies confronte naturellement une offre et une demande. Pour la plupart des agents, l'échange se fait via des intermédiaires (applications d'investissement en cryptomonnaies). Mais l'échange peut se faire autrement. L'échange OTC est un échange de gré à gré, c'est-à-dire que l'échange est direct entre offreur et demandeur, sans intermédiaire. En règle générale, le marché OTC concerne les transactions pour des montants conséquents de plusieurs centaines à plusieurs milliers de Bitcoins, par exemple. Le marché OTC est donc réservé aux demandeurs ou aux offreurs de taille conséquente, effectuant des transactions pouvant facilement atteindre plusieurs dizaines de millions d'euros.
L'objectif de passer en OTC est double. Premièrement, il permet aux contractants d'éviter de faire bouger le marché de manière instable. Ensuite, le marché OTC permet d'éviter les intermédiaires et donc les risques liés aux liquidités et à la sécurité, ainsi que les frais de transaction. Il offre également des libertés marchandes, car il est souvent peu régulé et transparent. L'extrême sécurité des cryptomonnaies peut conduire à une perte d'accès totale à la propriété. La célèbre histoire du programmeur allemand Stefan Thomas est devenue incontournable. Celui-ci a perdu son code PIN et a effectué presque toutes les tentatives avant la fermeture définitive du compte. Sont en jeu près de 7 000 Bitcoins, c'est-à-dire plus de 250 millions de dollars. D'après Chainanalysis, près de 3,8 millions de Bitcoins seraient perdus du fait de cette extrême sécurité. Ce qui correspond à ce jour à près de

140 milliards de dollars de capitalisation perdus pour un Bitcoin à 37 000 $. À long terme donc, la réussite de son investissement passe inévitablement par la bonne sécurité de son portefeuille.
À côté de cela, certaines cryptomonnaies peuvent subir des attaques numériques. De nombreuses cryptomonnaies sont susceptibles d'être confrontées à cette situation. Le 25 décembre 2013, par exemple, le Dogecoin a été piraté. Des millions de Dogecoins ont été volés du fait d'une sécurité insuffisante des portefeuilles. La sécurité des cryptomonnaies passe donc par la bonne gestion des données confidentielles et le bon fonctionnement des systèmes blockchain.
En bref, la sécurité des cryptomonnaies est un enjeu central. C'est la pierre angulaire de toute l'industrie de la cryptomonnaie qui permet au droit de propriété, mal reconnu par les gouvernements, de pouvoir exister. D'une part, pour les gros portefeuilles, il est important de regarder la législation présente dans chaque pays. Ensuite, l'absence d'intermédiaire donne l'entière responsabilité des accès au compte aux utilisateurs. C'est-à-dire que la sécurité de ses cryptoactifs passe par la conservation de sa clé privée. Des ledgers (hardware wallets) peuvent aider à sécuriser ces données de manière complètement indépendante. Par ailleurs, il est aussi important de garantir la sécurité des listes de mots.
En outre, on notera aussi pour les gros portefeuilles que la sécurité de son portefeuille est plus facilement assurée dans le cadre d'un échange OTC. Cependant, des limites demeurent en matière de sécurité des cryptomonnaies. Certaines cryptomonnaies ont encore de faibles niveaux de sécurité sur leur réseau Blockchain, tandis que d'autres cryptomonnaies souffrent de pertes considérables du fait de la forte sécurité.

Les cryptomonnaies changent radicalement la conception de la propriété en décentralisant les pouvoirs à une communauté qui s'autorégule par code informatique. Cette décentralisation permet au commun des mortels de devenir son propre banquier et de bénéficier d'une grande flexibilité et rapidité de traitement des données. L'enjeu de la sécurité est le principal problème des créateurs de cryptomonnaies.

Modèle économique et monnaies numériques

Mon postulat sera ici de considérer que l'Histoire montre que la monnaie suit les innovations économiques. La diffusion de nouvelles formes de monnaies dans le temps implique le bouleversement des équilibres économiques et financiers, et finalement de la société dans son ensemble. Il fait peu de doutes sur le fait que les cryptomonnaies s'insèrent dans le cadre d'une innovation monétaire, c'est-à-dire une application du numérique au système monétaire. L'insertion des cryptomonnaies dans les évolutions monétaires devrait participer à l'émergence de nouveaux modes d'épargnes, de consommation et de paiements.
Notre postulat sera ici de considérer que la monnaie est le résultat de l'application des innovations au système monétaire. La monnaie ne serait donc pas le fait d'innovations politiques, mais le résultat normal des innovations économiques. Sous les premières civilisations, les biens à disposition étaient principalement des céréales ou du bétail, ce qui leur offrait la position de « *monnaie* ». En réalité, avant même l'apparition de la monnaie calibrée sous Crésus, la dette avait déjà accru le nombre d'échanges.
Sous Crésus au VIe siècle av. J.-C., en Lydie, l'apparition de monnaies standardisées a été permise par l'amélioration des techniques de fonderie (séparation de l'or et de l'argent à l'aide de sel principalement). On notera en effet que des tentatives de standardisation des métaux avaient

déjà pris effet sous l'arrière-grand-père de Crésus. L'évolution monétaire majeure qui a suivi fut l'apparition des billets en Chine à partir du XIe siècle avec la diffusion du papier. Les billets se concrétisent également en Europe avec les premières croisades. Néanmoins, il faudra attendre l'invention de l'imprimerie et surtout son perfectionnement avant d'assister à l'apparition plus diffuse des premiers billets à partir du XVIIe siècle.

Les premières banques centrales apparaissent au XVIIe siècle : Banque d'Amsterdam en 1609, Banque de Stockholm en 1658, Banque d'Angleterre en 1694. Celles-ci favorisent notamment la diffusion de lettres de change, de certificats et des premiers billets.

Les billets ont été la dernière grande innovation monétaire avant la numérisation. Les billets nous offrent un aperçu clair des transformations qu'implique un changement des modes de paiements et d'épargne. Les premiers billets en France qui sont apparus sont les *billets de monnoye*. En septembre 1701, face aux déficits de l'État et au besoin de financement avec le début de la Guerre de Succession d'Espagne, Louis XIV décide d'émettre des billets face à l'insuffisance de métal disponible pour la refonte des pièces anciennes. Des billets à courte échéance, avec un intérêt de 5 % à 7,5 % sont ainsi proposés, représentant 1/3 du montant déposé. Le montant des billets émis passe rapidement de 3,3 millions de livres en 1703 à 160 millions en 1706.

Ainsi, les premiers billets étaient similaires à de la dette publique, que l'État s'engageait à rembourser à échéance fixe[19]. Les bons du Trésor servaient ainsi de moyen de paiement, ce qui est toujours le cas entre les banques commerciales aujourd'hui. En 1715, le montant

---

[19] Ce qui fait écho aux cryptomonnaies quand on sait que leurs performances dépendent du taux de variation de la masse monétaire et de la dette publique.

des billets exigibles à l'État s'élève à plus de 700 millions de livres, c'est-à-dire entre 30 % et 50 % de la richesse nationale d'alors. Les billets seront ensuite liquidés en grande partie à l'aide de l'opération du visa (inventaire des billets émis) et de dévaluations[20].
L'Histoire de la diffusion des billets s'accélère encore quelques années plus tard, sous le financier John Law de Lauriston. Le financier britannique se voit en charge de la nouvelle Banque Royale. En avril 1719, John Law de Lauriston, dirigeant de cette première banque centrale française, promet la non-dévaluation des billets émis. Mais en moins de 12 mois, la Banque Royale émet près de 1 milliard de billets, et jusqu'à 2,6 milliards de louis de billets en juillet 1720. Le système du financier John Law s'effondre.
On utilisait partiellement les métaux avant leur standardisation sous Crésus. De même, on utilisait peu les billets avant leur standardisation sous les premières banques centrales. Les cryptomonnaies suivent sensiblement les mêmes logiques. On utilise la monnaie de manière numérique depuis déjà plusieurs décennies, mais aucune tentative de standardisation, c'est-à-dire de fusion totale du numérique et de la monnaie, n'a été menée avant les cryptomonnaies.
En réalité, toutes les nouvelles formes de monnaies, du métal aux billets en passant par divers objets, connaissent généralement des débuts très spéculatifs, car la volatilité de diffusion est initialement forte. Plus la convention se répand dans les couches de la société, plus le risque de détenir ce moyen de paiement est faible. C'est pour cette raison qu'un rendement était aussi bien présent avec les premiers billets que les premières crypto-

[20] Une excellente approche financière à lire de l'époque du Roi Soleil a été développée par Pierre Ménard dans son livre *Le Français qui possédait l'Amérique,* Éditions Cherche Midi.

monnaies. Les cryptomonnaies vont au-delà de la numérisation de la monnaie, car elles intègrent le numérique au fonctionnement même de la monnaie. Les Banques centrales montrent un vif intérêt pour les cryptomonnaies, et les stablecoins semblent offrir une première alternative de choix à la mauvaise efficacité des monnaies traditionnelles. Les cryptomonnaies sont plus rapides, plus sécurisées, et offrent un choix plus grand de fonctionnalités que le système traditionnel.
Par ce processus précis, les mutations du monde actuel nous mènent vers un monde plus digitalisé. La digitalisation accélère l'information, la décentralisation du système financier et le changement des pratiques économiques. Un peu comme les premiers billets qui offraient des intérêts, le simple fait de détenir des cryptomonnaies offre aujourd'hui des rendements. Cela modifie les modes d'épargne, et la numérisation de la monnaie encourage la fusion entre compte courant et compte d'investissement. Ainsi, l'interdépendance de la consommation et de l'épargne tend à devenir plus importante encore. C'est-à-dire qu'une hausse du prix des actifs financiers aura plus facilement tendance à traduire une hausse de la consommation à terme.
En théorie économique, la plus grande dépendance entre l'épargne et la consommation traduit une plus grande mobilité des capitaux (les levées de capitaux sont plus rapides, flexibilité de l'épargne et de la consommation, etc.). Les crises du monde de demain, si toutefois les gouvernements ne continuent pas dans leur logique autoritaire, seront probablement plus rapides et mondialisées, sûrement plus centralisées vers l'Asie, mais aussi plus traçables avec des effets simultanés sur l'épargne et la consommation. Le fait de mêler épargne et consommation à travers la numérisation de la monnaie encourage inévitablement la disparition du modèle

keynésien, c'est-à-dire l'efficacité des relances et des dépenses publiques. Le monde de demain sera donc un peu plus dépendant encore de la production.
Dès lors, les cryptomonnaies apparaissent comme une des grandes innovations monétaires. Elles font suite à des premières tentatives de numérisation de la monnaie depuis la toute fin du XXe siècle. Comme suite aux premières diffusions des pièces ou des billets, les cryptomonnaies génèrent des dérives spéculatives tandis que leur diffusion inspire la modification des modes de consommation, d'épargne et de paiement.

II – La Finance décentralisée

1. Introduction au concept

La DeFi ou finance décentralisée représente l'application des produits de finance classique en utilisant la blockchain et les cryptomonnaies. Le premier projet qui avait lancé cette dynamique, c'est The Maker DAO (Decentralize Autonomous Organisation) avec ses deux tokens : le DAI qui est un stable coin, c'est-à-dire une cryptomonnaie vouée à être stable adossée à une monnaie fiduciaire, dans notre cas le dollar, et le token MKR qui sert à la régulation du flux de DAI. En effet, les tokens sont brûlés ou créés afin de faire en sorte que le DAI soit constamment égal à 1 dollar.
The Maker DAO était le premier protocole à instaurer la possibilité de faire des prêts collatéralisés grâce à un smart contract (contrat intelligent) sur la Blockchain Ethereum. Un collatéral peut être défini comme une garantie financière. Concrètement, lorsque l'on dépose des ETH (Ethereums), on peut alors emprunter un certain nombre de DAI. Cela ouvre la voie à de nouvelles manières d'utiliser sa cryptomonnaie. Dès lors, il était alors possible de déposer ses ETH que l'on souhaitait garder sur le long terme dans un vault Maker afin de générer du DAI que l'on pourra alors échanger à nouveau contre une autre cryptomonnaie. Sur son investissement initial si les bons choix sont faits, les gains peuvent donc être multipliés.
Prenons un cas concret. Lorsqu'on veut faire un prêt, on doit tout d'abord déposer dans le coffre-fort Maker une somme en ETH, par exemple 1 000 dollars dans notre cas. On pourra ainsi avoir 66 % de la somme bloquée dans le coffre en DAI. Rappelons que 1 DAI est égal à 1 dollar, on pourrait donc avoir l'équivalent de 660 dollars.
Lorsqu'on voudrait récupérer nos ETH bloqués, on devrait alors rembourser ces 660 dollars. Si entretemps, le prix de l'ETH baisse, on devrait payer des malus. Par contre, s'il

monte, me voilà à nouveau avec mes ETH valant 1 500 dollars, si le cours de l'ETH a pris 50 %. Enfin, il existe un dernier cas : si la valeur de nos ETH baisse en dessous de 660 dollars avant que cela n'advienne, nos ETH seront mis aux enchères pour récupérer du DAI.
Lors de la création de ce premier système de finance décentralisée, The Maker DAO n'était que le premier bloc d'une longue chaîne, mais on pouvait déjà y voir les opportunités que ce système proposait. Avec le temps, les cas d'usage de la DeFi se sont multipliés ; nous allons passer en revue un panorama des différents protocoles de cet écosystème. Cet écosystème de finance décentralisé est devenu un secteur à part entière, cette liste non exhaustive expose les projets majeurs de DeFi qui dominent autour de 2021.

Aave

Aave est un des premiers protocoles à avoir émergé en se basant sur le système de lending (prêt collatéralisé). Ce protocole a permis aux utilisateurs de multiplier le nombre d'assets qu'ils pouvaient déposer dans le but de faire des prêts ou bien d'emprunter des fonds. À l'origine destiné à assurer « aux prêteurs » une sécurité, les prêts étaient faits sous forme de prêts de Leibniz.
Les spéculateurs qui empruntaient afin d'effectuer des effets leviers voyaient leur position fermée au moment même où ils passaient en dessous du seuil nécessaire pour le remboursement du prêt avec les intérêts. Il est intéressant de noter qu'à ce jour, Aave gère plus de 21 milliards de dollars de liquidité. Aujourd'hui, il est possible de « stake » ses tokens AAVE sur le protocole, le délai pour retirer ses fonds est de 10 jours et le rendement associé est de 6,37 % par an en AAVE.

Uniswap

Uniswap est ce que l'on appelle un DEX (Decentralize Exchange) en opposition avec un CEX (Centralize Ex-

change). En effet, un DEX est une plateforme d'échange de cryptomonnaies décentralisée où l'ensemble des liquidités du protocole sont déposées par les utilisateurs. Elle fonctionne avec des pools de liquidités. On le rappelle, un pool de liquidité est souvent composé de 2 actifs et permet le swap (échange) d'une cryptomonnaie vers une autre. Il est intéressant de notifier que l'ensemble des pools de liquidités peuvent interagir entre eux, permettant donc de swap deux cryptomonnaies entre elles malgré le fait qu'elles n'ont pas de pool de liquidité propre. Contrairement à un CEX comme Coinbase qui a sa liquidité propre pour permettre aux utilisateurs d'échanger les cryptomonnaies entre elles.
Il est alors important de comprendre quel intérêt un utilisateur aurait de déposer des liquidités pour une paire donnée. On appelle ces paires des LP token pour Liquidy Providing token. Les intérêts sont multiples : la possibilité de toucher une partie des frais de transactions sur la paire donnée au prorata du pourcentage représenté dans le pool ; souvent, ces LP token peuvent être « stakés » sur des protocoles tiers afin de générer des rendements et enfin un intérêt non économique, la possibilité pour les utilisateurs de soutenir un projet en rendant sa cryptomonnaie liquide.

Compound

Compound est un protocole qui reprend le principe de lending : la possibilité pour ses utilisateurs de prêter et emprunter des cryptomonnaies. Il a été le premier protocole à permettre ce qu'on appelle le liquidity mining. En effet, Compound a mis sur le marché son token de gouvernance : le COMP. Ce dernier permet de prendre part aux décisions quant à l'évolution du protocole et des différents choix associés à ce token. Le liquidity mining est donc un processus par lequel les utilisateurs reçoivent des tokens de gouvernance en faisant interagir leur liquidité avec le protocole. À titre d'exemple, sur Compound, en déposant du DAI sur le protocole (supply), l'utilisateur va générer un rendement de 2,93 % par an en COMP. De la même manière, en empruntant sur son dépôt utilisé en tant que collatéral (Borrow), l'utilisateur va générer un rendement de 4,50 % par an en COMP. C'est-à-dire que les fonds bloqués sur le réseau sont rémunérés comme une offre de liquidités ; et dans le même temps, ces fonds bloqués servent de garantie pour emprunter. On se rend ainsi compte que l'utilisateur est poussé à utiliser au maximum le protocole par la rémunération des prêts et des emprunts. La Finance Décentralisée vous propose donc de vous payer pour emprunter de l'argent, sacrée révolution !

Paraswap

Paraswap est ce que l'on appelle un agrégateur de liquidité, contrairement à Uniswap qui « héberge » la liquidité de ses utilisateurs. Paraswap a pour but de réunir l'ensemble des liquidités du marché pour fournir à ses utilisateurs les chemins les plus simples, rapides et optimisés lorsqu'ils ont besoin de swap (échanger) des cryptomonnaies. Les pools de liquidités étant composés de 2 assets, par exemple DAI/ETH, lorsqu'un utilisateur souhaite échanger de gros montants, il peut connaître le phénomène de « price impact », ou impact sur le prix. La liquidité disponible n'étant pas infiniment plus grande que l'échange souhaité, l'utilisateur peut se retrouver dans une situation où lorsque le cours de l'ETH est de 3 500 DAI, il recevra simplement 3 200 DAI par ETH.

YFI

Pour introduire au mieux le protocole YFI (Yearn. finance), il est important de comprendre de quelle manière

deux blockchains peuvent communiquer entre elles. On appelle ce principe l'interopérabilité, qui se traduit par la capacité d'utiliser la cryptomonnaie d'une blockchain sur une blockchain différente, le fait de pouvoir faire interagir ses Bitcoins sur la blockchain Ethereum en est un exemple.
En effet, ce principe a été utilisé pour la première fois par The Maker DAO (Decentralize Autonomous Organization) en « emballant » (*wrapping* de son terme anglais) du Bitcoin afin de le rendre opérable sur Ethereum. Ce processus permet de convertir le coin bitcoin en wrapped bitcoin (équivalent d'un token ERC 20) et résout ainsi le problème d'écart de liquidité entre la Blockchain Bitcoin et Ethereum. Tout cela permet de rendre interopérables la blockchain Ethereum et la blockchain Bitcoin.
De la même manière, YFI utilise le wrapping pour convertir vos coins et tokens que vous déposez sur la plateforme en yTokens. Il signifie littéralement yield optimized token ou encore token d'optimisation du rendement en français. Il fonctionne donc comme un comparateur entre les différents protocoles DeFi (Decentralize Finance) présents sur Yearn. finance et sélectionne ceux proposant le meilleur rendement en fonction de la cryptomonnaie déposée. Tout cela grâce au wrapping, on le rappelle.

2. Une décentralisation des placements pour les particuliers : les produits décentralisés

LP token

La liquidité et la correspondance des besoins et des surplus est un enjeu central de la finance décentralisée. Les LP tokens sont générés lorsqu'un utilisateur souhaite ajouter de la liquidité à une paire donnée, ce sont les tokens fournisseurs de liquidités. Ils représentent des actifs dérivés dont la valeur dépend des tokens sous-jacents. Afin de créer des LP tokens, il est d'usage de se rendre sur un DEX ou plateforme d'échange telle qu'Uniswap. L'utilisateur doit alors mettre en quantité égale les tokens composant la paire. À titre d'exemple, pour des LP tokens DAI/ETH, l'utilisateur aura fourni 50 % de DAI et 50 % d'ETH. Il faut tout de même se rendre compte du risque encouru lors de la création de LP tokens. Le risque principal intrinsèque à la nature d'un LP token est ce que l'on appelle l'IL (Impermanent Loss) que l'on peut traduire par la perte impermanente. Quelle forme prend cette perte IL ?

Il est important de comprendre que l'IL se réalise lorsque les LP tokens sont « séparés » afin de retrouver les tokens sous-jacents. Elle se traduit par une perte des gains en comparaison à un investissement simple que nous aurions réalisé indépendamment sur les 2 tokens. Effectivement, un arbitrage constant se fait sur les LP tokens afin de garder l'équilibre 50 %/50 %. Dès lors que la part de gains ou de pertes entre les deux tokens n'est pas la même, l'IL va s'appliquer.

Il y a par ailleurs un autre risque à ne pas négliger, bien que moins fréquent, lié au « hack » de la plateforme gérant les fonds ou encore du contrat générant le token. Les problèmes de sécurité demeurent un enjeu central des plateformes d'échange, même si des avancées considérables ont été réalisées ces dernières années.

Staking

Le staking vient originellement de la PoS (Proof of Stake) et permet ainsi aux utilisateurs de geler ou déléguer leurs tokens afin d'assurer la sécurité du réseau et bénéficier de rendement. Le staking est utilisé par divers protocoles de la Finance Décentralisée qui offrent aux utilisateurs

la possibilité de « staker» leurs tokens de gouvernance, sans forcément impliquer des conditions de sorties. C'est ce qu'on appelle le staking en single asset. Pour l'écrire plus simplement, le staking revient à bloquer une partie de ses cryptomonnaies en portefeuille, en échange de quoi la plateforme d'échange fournit une rémunération pour le gain en liquidité. Cependant, il existe aussi le staking de LP tokens vu précédemment, ce qui permet de créer une autre motivation financière afin que les utilisateurs ajoutent de la liquidité sur une paire. Ce type de staking étant plus risqué, les rendements associés sont souvent plus élevés : sur les projets les plus jeunes, ils peuvent monter jusqu'à 8 000 % !
Il est important de garder en tête que ces chiffres hallucinants sont dus au fait que ces rendements sont utilisés comme des outils marketing par les protocoles pour attirer les nouveaux utilisateurs. Plus il y aura d'utilisateurs sur un staking de LP tokens, moins le rendement sera significatif. Notre analogie précédente entre les premiers billets fournisseurs de rendements ainsi que les premières cryptomonnaies proposées avec des rendements n'est pas si éloignée de logiques purement historiques.

Flashloan, ou la manipulation de marché pour tous

Le flashloan, ou prêt éclair en français, vient bouleverser les paradigmes existants. Il permet à n'importe qui d'avoir des sommes colossales le temps d'un instant. Le flashloan permet d'emprunter la somme que l'on souhaite sans contrepartie, la seule condition est de pouvoir la rembourser dans un même bloc. Si à la suite des différentes actions, la somme retournée au prêteur est inférieure, l'ensemble des actions faites avec ces fonds sont annulées. L'arbitrage devient ainsi accessible à tous, en observant les combinaisons possibles grâce aux légères différences entre plusieurs plateformes d'échanges. Un outil, Furucombo, aide notamment les personnes dans l'incapacité de développer eux-mêmes leur algorithme, et ceci grâce à une interface pédagogique représentant les différentes actions que l'utilisateur peut effectuer sous forme de cubes. La popularisation des flashloans avait entraîné la montée du prix du gaz, ainsi qu'une difficulté de plus en plus élevée pour trouver les opportunités d'arbitrage. On le rappelle, le gaz est ce qui permet à une transaction sur la blockchain Ethereum de se faire. Il fonctionne comme des enchères : plus il y a de transactions, plus son prix monte et donc les transactions deviennent plus coûteuses.

Indexes

Les indexes dans le monde des cryptomonnaies sont des produits financiers proposés par des protocoles en particulier. Ils permettent aux investisseurs d'investir directement sur des groupements de cryptomonnaies tels que : « les 10 premières cryptomonnaies en termes de valorisation » ou encore « les 5 cryptomonnaies principales de l'écosystème DeFi ».
Ces indexes sont eux-mêmes des cryptomonnaies, leur fonctionnement ressemble aux LP tokens, c'est-à-dire qu'ils sont dépendants des tokens sous-jacents. Il est intéressant d'observer que, contrairement aux LP tokens où l'arbitrage est automatique, il existe pour les protocoles d'indexes des arbitrages manuels où la communauté prendra la décision. Cela peut notamment servir lorsque dans les tokens sous-jacents, l'un d'eux se fait hack et que sa valeur tend vers 0 pour éviter d'acheter en continu le token expiré.

Assurance décentralisée

Aujourd'hui, le système d'assurance dans notre société reste malgré tout un investissement se basant sur les imprévus de la vie. En effet, lorsque l'on souscrit par exemple à une assurance voiture – *qui d'ailleurs est obligatoire*

– on atteindra un retour sur investissement positif dans le cas où les coûts engrangés lors « d'accidents » sont supérieurs à la somme totale dépensée dans ladite assurance. De plus, certains économistes ont montré que l'assurance contre les accidents provoque un *aléa moral*, c'est-à-dire que l'assurance contre le risque pousse l'assuré à prendre plus de risques puisqu'il se sait protégé. Un peu comme les États aujourd'hui qui se savent assurés par les banques centrales.

Le moteur pour ce type de consommation n'est pas rationnel, mais bien dicté par la peur et les émotions. D'un point de vue financier, les grands gagnants restent les assureurs qui se basent sur des études statistiques afin de calculer leur rentabilité.

Pour cela, il leur est nécessaire de prendre en compte le coût moyen d'un assuré lors d'un litige d'une part, et le pourcentage des assurés qui auront potentiellement un litige d'autre part. Il est alors possible de définir le prix de l'assurance qui, par extension, permettra à l'assurance en question de rembourser les assurés victimes de litige par les assurés « modèles », ainsi qu'un delta pour les bénéfices de l'assurance sur un an. Une question se pose : ne serait-il pas possible pour l'ensemble des assurés de se regrouper et de recopier le même modèle sans assureur ?

Sans assureur qui représente le tiers de confiance, une même assurance serait moins onéreuse. Naturellement, plusieurs problèmes flagrants apparaîtraient :

– Le risque pris pour les assurés, que l'ensemble des paiements mensuels ne couvrent pas les remboursements des litiges à un mois donné.

– Les potentielles fraudes sur ce système.

– La gestion des fonds.

La pérennité des assureurs aujourd'hui est due à la loi des grands nombres et il serait ardu de réunir des milliers de personnes qui ne se connaissent pas pour répliquer le modèle d'un assureur. Pourtant, il existe une technologie qui permettrait une telle prouesse ; vous l'aurez compris, on parle de la blockchain.
Il n'est plus question de faire confiance aux « assurés » ou aux assureurs, mais simplement à la technologie. Nous allons donc comprendre comment ce système s'applique à la DeFi. Par ailleurs, il n'est pas inconnu que des protocoles soient victimes de « hacks » ; à la suite de ces hacks, les utilisateurs se voient perdre les fonds engagés. Les assurances DeFi permettent à ces utilisateurs de choisir quels projets ils souhaitent « assurer » avec leur fonds. Le fait d'assurer un protocole permet aussi à l'utilisateur de générer des rendements.

Jeton non-fongible (NFT)

Les tokens non fongibles, ou non fungible tokens en anglais (NFT), sont une branche récente de l'industrie des cryptomonnaies. Cette révolution, jugée autant bouleversante que spéculative, est à l'origine de la transformation profonde de certains secteurs, en particulier celui de l'art. Pour l'exprimer simplement, les NFT utilisent la Blockchain pour associer à un objet (tableau, meuble...), ou un document (image, musique, vidéo...), une identité numérique unique, garantie par le fait que la Blockchain est non fongible. Une Blockchain non fongible signifie que le token en question est rattaché à un ensemble non vide de propriétaires. Un peu comme si l'on s'échangeait un objet physique réel, indivisible, avec un nombre de propriétaires fixe.
Pour la parenthèse, on rappellera que Velleyen Sawmy, co-auteur de ce présent livre, est en outre le fondateur de Enephtys, la première agence européenne de NFT pour les artistes et les entreprises.

Nous avons tous à l'esprit ces NFT, dont des petites images d'art numériques pour lesquelles le prix atteint parfois plusieurs millions d'euros... Cela a attiré l'intérêt de millions de particuliers pensant faire fortune avec cette technologie. Mais là encore, les NFT cachent une réalité plus rationnelle. Le premier élément, c'est que le succès d'un NFT, disons simplement d'une œuvre numérique dans le cadre de l'art, dépend du succès de son auteur... Un inconnu créant son propre NFT n'a presque aucune chance de voir son prix partir pour plusieurs millions d'euros. La deuxième raison au succès des NFT, c'est le flou juridique, et le fait que de très nombreuses fortunes, dont des célébrités du sport, ont utilisé cette technologie pour blanchir des fonds ou détourner la classification de certains revenus, souvent à coups de millions d'euros. Enfin, la dernière raison, c'est le besoin pour certains agents de numériser les contrats de propriété aux particuliers comme à une communauté.

Mais alors, quel est le rôle économique le plus pertinent des NFT ? Le rôle que nous devons associer aux NFT est probablement assez simple. Par analogie, les NFT sont la formalisation numérique des contrats de propriété, que l'on peut échanger numériquement. L'intérêt d'échanger un pseudo-contrat de propriété est double pour les agents : premièrement, la décentralisation et la sécurité du réseau ; ensuite, la rapidité d'échange et son caractère international. Les NFT peuvent être un placement judicieux, mais cela touche plus au domaine de l'art et du subjectif. Plus concrètement, les NFT deviennent dans un certain sens un outil marketing pour commercialiser ses produits numériquement, gagnant en rapidité, en efficacité et en décentralisation de l'information.

3. Outils de base des stratégies et produits complexes

Le yield farming

Le yield farming, ou l'activité de rendement en français, est un processus complexe ; il consiste à recevoir un retour sur investissement après avoir utilisé son capital de manière productive. On pourrait le comparer à de l'épargne classique où celle-ci est prêtée à d'autres clients afin de gagner 0,5 % sur son capital de base à la fin de l'année : « l'argent n'a pas dormi, il a été utilisé de manière productive », diront les banques. De la même manière, le yield farming trouve son origine dans les services DeFi tels que Compound, Avee, Balancer ou encore Uniswap.

Ces derniers proposent d'ajouter de la liquidité au réseau afin que celui-ci prospère, et en échange des fonds déposés, un pourcentage variable en fonction de la cryptomonnaie est gagné par le dépositaire : principe du lending.

Seulement, cette version du yield farming s'est vue évoluer lorsque Coumpound introduit son propre token de gouvernance, le token COMP ; il n'est plus question de simplement toucher des intérêts avec le lending (dépôt de liquidité dans le réseau). Toute personne utilisant le service, que ce soit pour faire du lending ou pour borrow (emprunter), gagne du COMP. Voilà une récompense supplémentaire ne laissant pas indifférent les utilisateurs et attirant les spéculateurs.

Dans la perspective de saisir une vision plus large, observons Uniswapp qui, quant à lui, permet à ses dépositaires de toucher des frais sur les trades faits avec sa réserve de liquidité (liquidity pool). Balancer, lui opte pour les deux

options : la mise en circulation du BAL qui est aussi un token de gouvernance et la possibilité de toucher des frais sur les trades pour les fournisseurs de liquidité.
C'est alors que le yield farming prend une autre dimension : générer des bénéfices en mettant son capital à disposition du pool, c'est bien, mais optimiser ses rendements en maximisant l'obtention de tokens de gouvernance, c'est mieux. Le yield farming est donc l'utilisation en cascade de l'ensemble des produits financiers décentralisés vus dans la dernière partie (LP tokens, staking, flashloan, indexes et assurances) afin d'optimiser son rendement.

Le pump de l'ensemble des projets DeFi trouverait peut-être sa source dans ce processus ? Il est en effet possible de prêter du DAI que l'on utilisera comme collatéral (actif porté en garantie) pour emprunter de l'USDT, par exemple, ces deux monnaies étant pour rappel des stablecoins. L'USDT emprunté, une fois échangé en DAI, permet de rajouter de la liquidité et augmenter le montant du collatéral. Cette explication barbare nous donne l'exemple d'un moyen utilisé pour maximiser le nombre de tokens gagnés par le lending et le borrow.

Pas besoin d'être un expert pour s'essayer au yield farming, aujourd'hui, des outils tels que https://instadapp.io/ permettent d'automatiser ces tâches. Pour être rentable, de nombreux facteurs sont à prendre en compte, notamment quel service propose le taux le plus intéressant pour la cryptomonnaie déposée afin de déplacer ses fonds là où ils rapportent le plus.

Les modèles de financement des entreprises

Enfin, un aspect évident de la finance décentralisée est le bouleversement du modèle de financement des entreprises. Les fans de cryptomonnaies connaissent probablement déjà les ICO (Initial Coin Offering). Dans la finance traditionnelle, quand une entreprise arrive sur la cotation boursière, son introduction se fait par une opération que l'on nomme une IPO (Initial Public Offering). Le même procédé s'est développé sur cryptomonnaies (ICO). Une ICO permet ainsi à tout projet (souvent des applications décentralisées) de lever des fonds. En échange de fonds en euros, dollars ou autres cryptomonnaies, le souscripteur reçoit une partie de l'offre du token en émission. Souvent, les souscripteurs bénéficient aussi d'avantages comme des primes ou des systèmes de parrainages. L'ICO est ainsi plus ouverte et plus facile d'accès qu'une IPO, et il est donc important pour tout bon investisseur de se concentrer sur les projets les plus sérieux. On peut ainsi citer l'exemple de Coinbase, qui, plutôt que de réaliser une ICO, a réalisé une IPO massive en avril 2021. L'action Coinbase est aujourd'hui cotée au Nasdaq avec une valorisation de près de 90 milliards de dollars à l'automne 2021. À l'inverse, des applications décentralisées comme SwissBorg ont par exemple réalisé une ICO de plus de 50 millions d'euros en 2018, ce qui leur a permis de développer un modèle de croissance stable et puissant, avec un cours du token (CHSB) largement supérieur à son émission. Depuis 2016, on ne dénombrerait pas moins de 3 000 ICO dans une dizaine de pays les plus dynamiques. Plus de 25% des ces ICO sont le fait des États-Unis, 15% pour Singapour, et presque 14% des ICO pour le Royaume-Uni (dont une partie pour les îles vierges).

D'après *icobench.com*, qui recense toutes les données en matière d'ICO, pas moins de 87% des ICO seraient basées sur la Blockchain Ethereum. Pour l'instant, les levées de fonds restent très centrées sur des projets de cryptomonnaies. Mais le nombre de levées de fonds pour

le secteur bancaire, pour le commerce en ligne ou pour tout autre secteur (santé, énergie...) représente une part croissante du nombre d'ICO observables à ce jour. Néanmoins, on notera que le nombre d'ICO et les montants levés sont très corrélés au cours des cryptomonnaies. En ce sens, le marché des cryptomonnaies est une sorte de pseudo-marché des capitaux, avec ses phases d'expansion (2016-2017 ou encore 2019-2020) et de déclin (2018-2019, par exemple).
De plus, plusieurs dérives à ce modèle de financement existent : Initial Exchange Offering (IEO) à travers un partenariat avec des plateformes d'échange, ou bien encore les Security Token Offering (STO), plus rares, qui permettent d'émettre des tokens de manière régulée (c'est-à-dire que l'émission se conforme à la législation relative aux valeurs mobilières, avec des droits et obligations de l'entreprise et des investisseurs).
Plus récemment, on parle également d'Equity Token Offering pour parler des émissions de tokens donnant lieu à un droit de vote pour les investisseurs, ainsi que des rémunérations des titres. En cela, la Blockchain agit par mimétisme et reproduit le modèle de financement traditionnel à travers ce nouveau modèle d'equity-token. Les émissions entièrement numériques, basées sur la Blockchain, deviennent ainsi un moyen de financement utilisé par de plus en plus d'entreprises et de projets. Là encore, il se situe un des grands enjeux du monde financier de demain.
Pour ceux qui souhaiteraient en savoir plus, nous rappelons que Matthieu Quiniou, avocat au Barreau de Paris, dont nous avons eu le plaisir de recevoir le commentaire au début de ce livre, est un spécialiste de la question des ICO. Ayant contribué à l'édification de la règlementation française en matière d'ICO, on renverra notamment vers son livre *Investir et se financer avec la Blockchain, le guide des ICO,* publié en 2018 aux éditions ENI.

III – Cryptomonnaies : logiques de marché et projections

1. Corrélations fondamentales

Or et Bitcoin : un lien réel ?

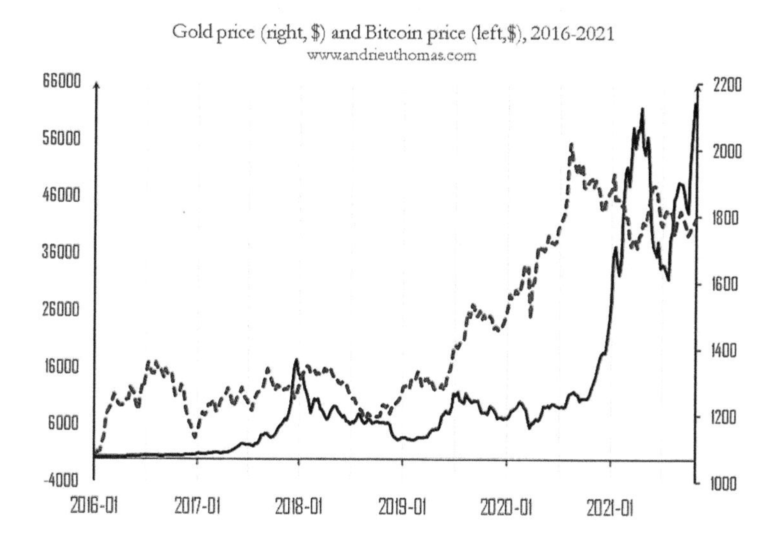

Figure 7 – Comparaison du prix de l'or (pointillés) et du Bitcoin, 2016-2021

La comparaison est souvent faite entre or métal et Bitcoin. Cependant, la comparaison n'est pas exacte. Le graphique ci-dessus reprend le cours de l'or avec le cours du Bitcoin. Effectivement, le cours du Bitcoin a assez bien respecté l'évolution du cours de l'or entre 2017 et 2019. Par ailleurs, d'un point de vue purement statistique, le Bitcoin est près de 3,5 fois plus volatile que l'or. Le Bitcoin a acquis une visibilité accrue, en particulier auprès des plus jeunes, ce qui lui confère un caractère d'actif à avoir en portefeuille. Ainsi, le Bitcoin est souvent comparé à l'or pour son caractère libre, non étatique et limité. De nombreux investisseurs sont entrés entre le premier et le second semestre 2020 pour ces raisons précises. Voir mon article pour Cafedelabourse :

Néanmoins, des divergences majeures entre l'or et le Bitcoin demeurent. Tout d'abord, le Bitcoin et l'or sont de nature complètement différente. L'or n'a pas de vocation à l'échange ni à la spéculation. Nous allons le voir, il subsiste donc des différences macroéconomiques centrales entre les deux métaux.
La première différence qui subsiste est celle de la capitalisation des deux marchés. Fin 2019, le World Gold Council a estimé les quantités d'or mondial à 197 600 tonnes. Ce qui représente, à un prix de 1 950 $ l'once, 12 300 milliards de dollars. Ce qui est encore 5 à 6 fois supérieur à la capitalisation des cryptomonnaies au printemps 2021. Il faudrait encore plusieurs années aux cryptomonnaies pour surpasser l'or. Par ailleurs, pour mieux saisir la place du Bitcoin dans le paysage financier, nous pouvons raisonner par analogie à l'or. Dans mon dernier livre *L'or et l'argent* aux Éditions JDH, je suis revenu sur les facteurs fondamentaux qui influencent le prix de l'or :

– Premièrement, le contexte économique. L'or est un actif très corrélé à certains paramètres économiques comme les taux réels (taux moins inflation) ou l'inflation. Quand la rémunération nette (ajustée de l'inflation) du capital diminue, l'or se renforce car la recherche de sécurité est plus forte. Écrit plus simplement, quand les rendements diminuent, l'or tend à augmenter et inversement. Une situation de crise traduit globalement une diminution des rendements, ce qui confère à l'or un vrai caractère refuge.

– Deuxièmement, l'offre physique d'or. En 2019, l'offre physique d'or était assurée à presque 75 % par les mines d'or. Écrit plus simplement, l'offre fait en grande partie le prix de l'or. Le graphique ci-dessous du CPM Group reprend la production minière d'or depuis 1977. On remarque effectivement cette corrélation entre offre et prix de l'or.

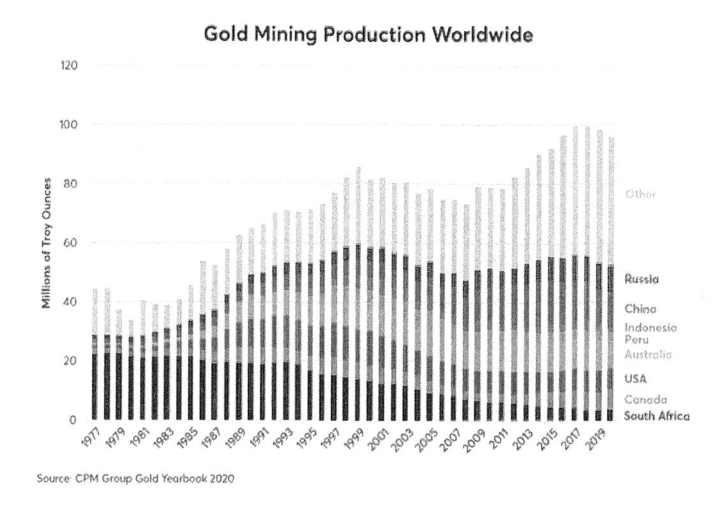

Figure 8 – Production minière d'or par pays

À titre supplémentaire, la demande d'or physique était assurée en 2019 à 50 % par la bijouterie et à 30 % par l'investissement. L'or est donc un actif dont le prix dépend de sa rareté par excellence. Ensuite, nous avons le Bitcoin dont la nature de l'offre et de la demande est complètement différente. Évidemment, le caractère li-

mité du Bitcoin et de l'or peut accorder une place centrale à l'offre. Ce qui n'est pas le cas à ce jour.
Le graphique ci-dessous reprend le prix du Bitcoin (mesuré sur l'axe de gauche) avec la quantité de Bitcoins en circulation et la variation annuelle des Bitcoins en circulation (courbe décroissante).

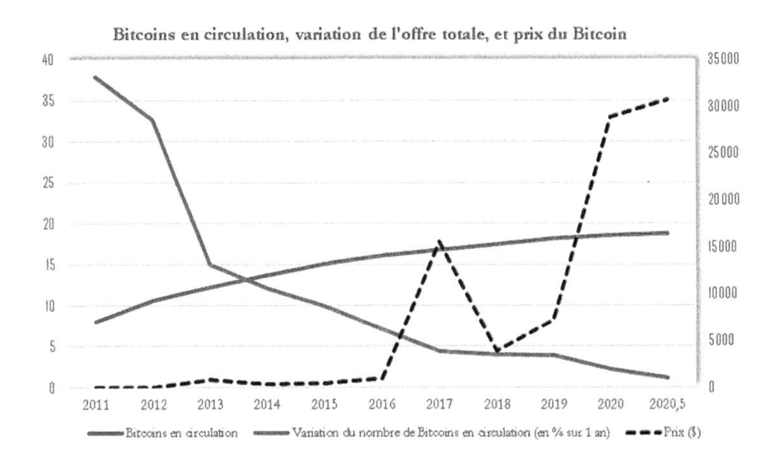

Figure 9 – Graphique montrant le prix du Bitcoin (pointillés), la variation de l'offre totale de Bitcoins (courbe centrale), et la variation de l'offre totale

Dans une étude publiée par Glassnode (entreprise spécialisée dans la Blockchain), on découvre que fin 2020, les adresses Bitcoin détenues par les mineurs concentrent 9,7 % des Bitcoins en circulation. La proportion des mineurs dans les bitcoins en circulation a très fortement diminué depuis la création du Bitcoin. Effectivement, si l'on reprend l'étude de Glassnode, les mineurs détenaient près de 90 % des bitcoins en circulation en 2010, presque 30 % en 2012, avant de diminuer régulièrement et de tendre sous 10 % des bitcoins en circulation. À noter que les mineurs représentaient fin 2020 0,22 % de l'ensemble des acteurs du marché.

Écrit plus simplement, l'influence absolue des mineurs sur le marché du Bitcoin est mathématiquement décroissante. La courbe de la proportion des mineurs dans l'offre totale en circulation rejoint la courbe de la variation annuelle des quantités de Bitcoins en circulation (graphique précédent). Contrairement à l'or, les quantités minées diminuent à long terme et la rémunération des mineurs est divisée par 2 (c'est le « halving » tous les 210 000 blocs minés, soit une fréquence de 4 ans sur les dernières années). Cela contribue théoriquement à réduire l'offre de Bitcoins et donc à faire monter les prix. En bref, quantitativement, nous n'avons jamais miné autant d'or métal qu'aujourd'hui, et jamais miné aussi peu de Bitcoins qu'aujourd'hui. Ce qui confirme notre paradoxe entre l'or et le Bitcoin. Ces deux actifs, aux quantités pourtant limitées, accordent une importance inverse aux mineurs dans l'offre totale.
En outre, le Bitcoin est souvent connu pour son offre plutôt inégalitaire. Ce qui n'est pas entièrement faux. Jusqu'alors, le Bitcoin a attiré un public peu fortuné et plutôt jeune : 56 % des utilisateurs de Bitcoin en 2015 avaient entre 18 et 34 ans. Cette partie de l'offre constituée de jeunes détenteurs s'oppose aux grandes fortunes détentrices de Bitcoin. Il s'agit principalement des institutionnels. Ce clivage a persisté en 2020 et persiste encore aujourd'hui. En réalité, ce clivage permet d'expliquer l'intensité toute particulière de la hausse des cryptomonnaies ces derniers mois. La puissance d'évolution du cours des principales cryptomonnaies n'est plus tellement entre les mains des particuliers… Ce qui est par ailleurs caractéristique d'un marché plus atomisé (avec plus d'agents et d'utilisateurs).
En effet, les grandes cryptomonnaies bénéficient d'une importante couverture institutionnelle (et médiatique). D'après Glassnode, le nombre de baleines (détenteurs de

plus de 1 000 BTC, soit 50 M$ de Bitcoin en février 2021) a augmenté de 27 % en 2020 (+13 % en termes de capitalisation). Cela montre l'intérêt prononcé des gros investisseurs et institutionnels (moins de 0,01 % du nombre total d'utilisateurs), qui représentent près de 32 % de l'offre totale début 2020.

De plus, près de 97 % des utilisateurs détiendraient moins de 1 Bitcoin, et ne possèderaient que 5 % de l'offre totale. Cela montre la puissance de frappe absolument considérable des institutionnels sur le prix du Bitcoin. Enfin, on notera l'influence des plateformes d'échange et des mineurs. Les plateformes d'échange et les mineurs pèsent plus de 22 % de l'offre totale, alors qu'ils représentent moins de 0,25 % des détenteurs de Bitcoins. Une minorité d'acteurs concentrent donc d'importantes quantités.

En clair, ce sont les institutionnels qui font à ce jour le marché sur les deux principales cryptomonnaies, tendance qui s'est fortement accentuée sur la seule année 2021. Cela permet aussi d'expliquer la forte hausse du prix du Bitcoin, avec une demande majoritaire d'institutionnels face à une offre minoritaire de particuliers. En bref, les baleines (fonds, entreprises, banques, etc.) donnent le tempo de l'évolution des prix. Il existe en effet une corrélation extrême entre le nombre de gros investisseurs à long terme et la possibilité pour le Bitcoin de faire de nouveaux sommets.

Pour donner une idée de la puissance de frappe des institutionnels, les analystes de JP Morgan ont affirmé que « *si les fonds de pension et d'assurance aux États-Unis, au Royaume-Uni, en zone euro et au Japon allouent 1 % de leurs actifs en Bitcoin, cela engendrerait une demande additionnelle de 600 milliards* », soit 3 fois la capitalisation du Bitcoin à l'automne 2020. En avril 2021, la capitalisation était de 2 000 milliards de dollars, soit bien au-delà de ce que les analystes avaient imaginé (arrivée de grandes entreprises avec le coup médiatique de Tesla, etc.). La capitalisation du marché des cryptomonnaies, nous y reviendrons, a été multipliée par 10 en l'espace de quelques mois. Cela permet en particulier de conforter l'hypothèse logarithmique que nous développerons.

Dans un article pour CoinTribune en janvier 2021, je précisais que « *si les agents se mettaient à utiliser massivement les cryptomonnaies, leur place dans la gestion serait prédominante. 5 % des avoirs des gestionnaires en cryptomonnaies à terme permettraient de générer une demande de 3 000 milliards de dollars. Soit plus de 3,5 % du PIB mondial de 2018. Cette proportion est tout à fait envisageable à ce jour. À cela, il faudrait ajouter la capitalisation générée par les transactions interbancaires en cryptomonnaies et les transactions entre agents économiques* ».

De tels montants concentrés en si peu de temps ne peuvent être que le résultat de décisions institutionnelles. Pour donner une idée de comparaison, si 35 millions de personnes environ, soit la moitié de la France, misaient 10 000 $ chacune sur les cryptomonnaies, cela ne ferait augmenter la capitalisation que de 350 milliards de dollars. Une fois que nous avons saisi la structure actuelle du marché des cryptomonnaies, cela nous permet d'établir plus clairement des corrélations de marchés. Le Bitcoin a acquis en 2019 et 2020 une nouvelle place dans le milieu financier. Son approbation par la haute finance le rend assujetti à des mouvements de marchés assez précis.

Indicateurs majeurs

De manière globale, le Bitcoin a peu de corrélations macroéconomiques fortes. Néanmoins, l'une des grandes corrélations que j'ai mise en avant à plusieurs reprises dans de nombreuses publications est celle du stress financier. Les financiers connaissent assez bien les indicateurs de stress sur les marchés. Le plus connu étant le VIX sur le S&P500. Ces indicateurs permettent de connaître le sentiment global des investisseurs (stress, calme, panique, etc.).

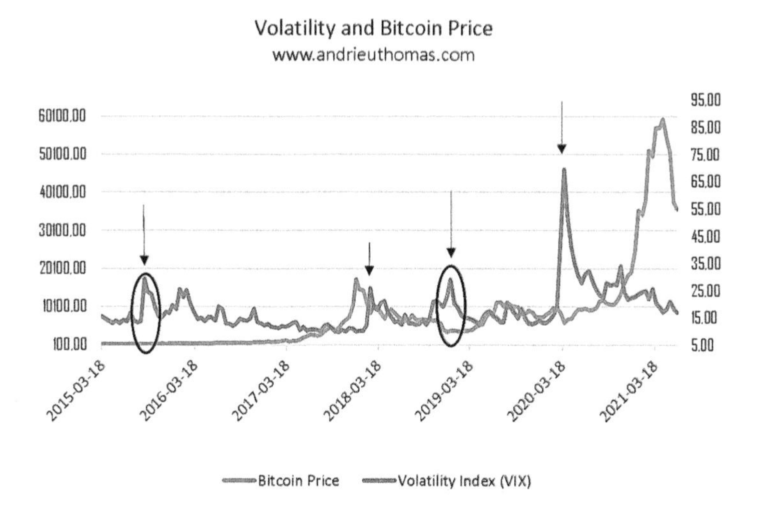

Figure 10 – Volatilité (droite) et Bitcoin (gauche)... Un lien étroit

Le graphique ci-dessus reprend le cours du Bitcoin (en échelle sur l'axe de gauche) et le VIX (Indice de volatilité du S&P500) aux États-Unis. On observe une corrélation quasi parfaite entre les deux indicateurs. La quasi-totalité des périodes d'apogée du stress financier sont suivies d'un rallye haussier plus ou moins fort sur Bitcoin.
On peut par exemple noter les pics du stress financier de septembre 2015, février 2016, avril 2018, janvier 2019, octobre 2019 et enfin mars 2020. On notera ici certaines régularités pour la partie suivante de ce livre. La corrélation entre Bitcoin et stress financier est moins pertinente mais tout de même considérable pour les points bas du stress. Un point bas majeur de moyen terme du stress a tendance à traduire des risques assez puissants de correction du Bitcoin.

L'explication à cette corrélation est assez simple. Nous l'avons vu, le Bitcoin est un actif dont la répartition de l'offre est très fragmentée. Les institutionnels possèdent une partie considérable de l'offre totale. Par nature, les institutionnels sont extrêmement liés à l'état global du secteur financier.
Toutes les banques et les fonds sont liés entre eux. D'une part, il y a le marché interbancaire, c'est-à-dire les prêts de court terme entre institutionnels. Quand une pénurie de liquidités se manifeste, des risques de non-paiement apparaissent entre institutionnels, ce qui oblige certains à vendre leurs avoirs. À cela, il faut ajouter les marchés financiers eux-mêmes. Les gestionnaires et investisseurs sont positionnés sur une vaste étendue de marchés et la baisse prononcée d'un actif peut entraîner la baisse des autres. Dans ces périodes, les actifs les plus sensibles à une chute prononcée des cours sont les actifs les plus spéculatifs.
En conséquence, même si le Bitcoin peut avoir sous un certain aspect un caractère refuge, il n'en demeure pas moins spéculatif. Dans les stratégies des fonds d'investissement et de gestion, les actifs risqués représentent une partie souvent minoritaire mais plus à même d'être liquidée. Ce qui explique parfaitement la position du Bitcoin. Le prix de celui-ci est déterminé très largement par les mouvements impulsés par les institutionnels. De leur côté, les institutionnels réagissent selon des logiques de marché et de liquidités. Quand un stress sur les marchés et les liquidités se manifeste, cela se répercute sur l'indicateur de stress et le Bitcoin.
Avec ce recul d'analyse, on comprend mieux la hausse soutenue des cours en 2020 et 2021. Le marché des cryptomonnaies a connu une hausse de capitalisation sans précédent depuis le printemps 2020 et la crise du COVID. Ce mouvement d'intérêt soudain des institu-

tionnels est le résultat de la naissance de nombreux projets liés aux cryptomonnaies partout dans le monde. Tout cela a été permis grâce à la bulle de 2017, qui a provoqué l'émergence de plusieurs centaines de projets. Ces projets ont provoqué une hausse durable du nombre d'utilisateurs et de la capitalisation globale, malgré une stagnation des cours entre 2018 et 2019.

La crise de 2020 a aussi provoqué un point bas majeur, ce qui a éveillé l'intérêt de nombreux gestionnaires dès le printemps. L'abondance de liquidités, la réduction du stress financier à l'été et les annonces de PayPal et autres institutions à l'automne ont débloqué les prix des cryptomonnaies. PayPal, Mastercard, JP Morgan, BlackRock et autres ont enclenché une dynamique de plusieurs centaines de milliards de dollars.

À l'époque, le sommet absolu du stress financier en mars 2020 était un signal clair d'achat. Malgré les injections de liquidités, la crise économique a provoqué un stress sur les marchés qui s'est maintenu jusqu'à l'élection fédérale américaine de l'automne 2020. Le maintien d'un fort stress financier durant la majeure partie de l'année 2020 était un signal assez pertinent d'un très fort rallye haussier à venir. Cela a notamment motivé ma recommandation d'octobre 2020 qui a précédé l'envolée du cours des cryptomonnaies avec les traders Paul Marcel, Christophe Servais et Marc Raffard :

En clair, l'avenir des cryptomonnaies repose à long terme sur la puissance des institutionnels. Goldman Sachs a précisé à l'été 2020 via Mathew McDermott (Directeur des actifs numériques, Goldman Sachs) que nous pourrions assister à l'apparition « *d'un système financier où tous les actifs et passifs seraient regroupés sur la Blockchain* » d'ici 5 à 10 ans.
Ainsi, nous avons vu que la comparaison entre or et Bitcoin n'était pas évidente. Nous avons aussi vu que le Bitcoin était très sensible à l'état d'esprit du marché. Bien que les cryptomonnaies soient des actifs très jeunes, d'autres corrélations macroéconomiques existent. Bien que la corrélation soit moins évidente que pour l'or physique, le Bitcoin est par exemple corrélé au dollar.

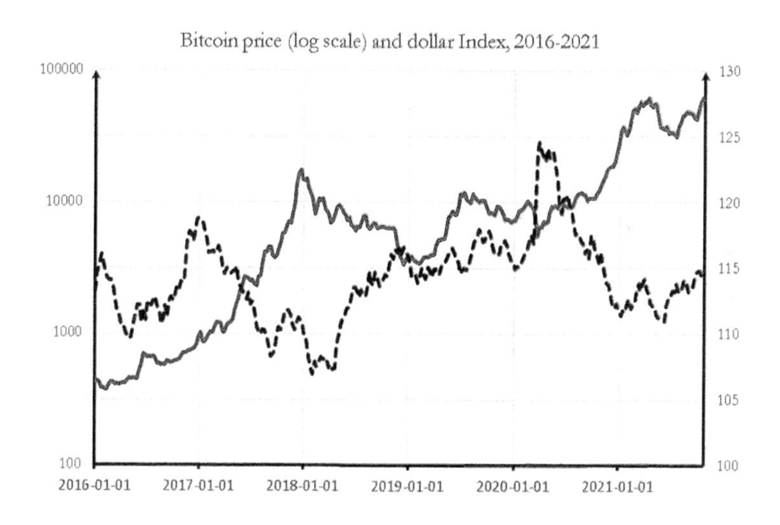

Figure 11 – Comparaison entre le Bitcoin (échelle logarithme, gauche) avec l'indice dollar (pointillés, droite)

Le graphique ci-dessus reprend le cours du Bitcoin (échelle logarithme, gauche) avec l'indice dollar (indice du dollar face à 6 autres devises, ici en pointillés, droite). Nous aurions également pu ajouter la comparaison avec

le stress financier pour combiner notre précédente observation. On remarque une bonne corrélation relative entre Bitcoin et dollar. La quasi-totalité des retournements de moyen terme sur le Bitcoin s'accompagnent d'un retournement sur le dollar. Néanmoins, il n'existe pas une corrélation aussi nette que sur le stress financier.
Certains points bas du dollar sont accompagnés d'un point haut ou d'un point bas du Bitcoin, de même que pour les points hauts du dollar. Cependant, on peut noter quelques grandes dynamiques assez communes à l'or et au Bitcoin. Par exemple, les grandes phases de dépréciation de moyen terme et de long terme du dollar (2016-2018 ou 2020-2021) sont suivies d'une phase assez intense de hausse du cours des cryptomonnaies.
On notera cependant une figure qui s'est reproduite entre le Bitcoin et le dollar sur les phases haussières de 2016/2017 et 2020/2021. Entre décembre 2016 et septembre 2017, pendant 8,6 mois, le dollar a chuté. Cela a participé à faire augmenter significativement le prix du Bitcoin : un dollar plus bas, c'est plus de monnaie et plus d'inflation sur les actifs. À partir de septembre 2017, le dollar a rebondi à la hausse jusqu'en novembre, puis décembre, alors que nous assistions à une hausse parallèle du Bitcoin. Comme pour l'or, la hausse du dollar constitue en partie un signal de survalorisation implicite, c'est-à-dire de risque de correction à quelques mois.
La même dynamique Dollar/BTC peut être décrite sur 2020. Entre le plus haut du dollar en avril 2020 et son point bas en janvier 2021, soit 8,6 mois, le dollar a marqué une première phase de hausse intense. En 2017 comme en 2021, le dollar a ensuite légèrement rebondi à la hausse, ce qui a achevé une première phase de hausse du Bitcoin. Suite à ce premier pic, le rebond haussier du dollar s'est effectivement accompagné pendant un peu plus de 60 jours, en 2017 comme en 2021, d'une hausse

du Bitcoin. Une fois le rebond haussier du dollar terminé, cela en renchérit une nouvelle phase haussière sur Bitcoin par dégradation du dollar.
On remarque donc, bien que le recul soit insuffisant, une répétition de figures assez révélatrices. Figures régulières sur lesquelles nous reviendrons dans la partie suivante. Pour simplifier la description que nous venons de faire, on pourrait dire que le Bitcoin réagit en deux phases :

– Une première phase alimentée fondamentalement par la chute du dollar et la diminution continue du stress financier. Cette phase impulse la majorité du mouvement haussier dans le temps. Durant cette phase, on observe souvent une tendance à toucher régulièrement les résistances graphiques précédentes.

– Une deuxième phase haussière moins fondamentale. Cette phase haussière peut s'accompagner d'une hausse du dollar. Sur les marchés boursiers, une hausse de la valeur de la devise avec une hausse des cours traduit une tendance à la survalorisation, implicite (hausse du dollar) et explicite (hausse des cours). C'est généralement la phase la plus intense de hausse. Cette phase se présente souvent avec des signes de spéculation et une arrivée des petits investisseurs, conduisant à un essoufflement du mouvement, et un sommet sur les cours.

Du fait de cette double réaction, le Bitcoin se corrèle à l'or dans un premier temps, avant de se détacher complètement de l'évolution du métal précieux dans un deuxième temps. En poussant la réflexion, on pourrait ainsi conclure que le Bitcoin n'est pas autant refuge que l'or, puisque sa réaction aux fondamentaux économiques est plus asymétrique.
L'or est favorisé par l'inflation, la chute des taux directeurs, ou encore la chute des devises comme le dollar. Écrit plus simplement, l'or augmente quand la rémuné-

ration (nette) du capital diminue. Le fait que l'or soit très sensible aux taux et que le Bitcoin soit très sensible aux tensions provoquées par les taux nous permet de mettre en évidence une corrélation fondamentale.
On pourrait ainsi avancer le fait qu'un rallye sur Bitcoin se déroule dans un premier temps avec une hausse simultanée de l'or, et dans un deuxième temps, le Bitcoin augmente plus fortement que l'or. En effet, dans un premier temps, l'or et le Bitcoin suivent généralement la même tendance haussière. Cela s'explique en raison de la diminution des taux réels et du stress financier. Néanmoins, il arrive un moment où les taux réels réaugmentent, car le contexte est favorable aux investissements, ce qui provoque une chute de l'or et une continuité de la hausse du Bitcoin. Ces logiques très fondamentales sont le cœur du lien implicite entre Or et Bitcoin.
Ainsi, l'indice dollar est intéressant à mettre en perspective avec le stress financier (ici la volatilité). Si un point de retournement sur le dollar est suivi de bas niveaux sur le stress financier, cela traduira plutôt un risque baissier très probable sur Bitcoin. Inversement, un point de retournement sur le dollar avec un point haut majeur du stress financier traduira plutôt une opportunité d'entrée. Le stress financier et l'indice dollar sont déjà deux grands indicateurs qui ont une forte capacité d'influence sur le prix du Bitcoin.
Enfin, il est important de comprendre ce qui influe sur le cours du dollar afin d'anticiper les grandes tendances, et déduire ainsi des mouvements sur Bitcoin et autres cryptomonnaies. Le dollar est globalement très regardé par les institutionnels, car il indique s'il est ou non préférable de détenir certaines devises et actifs. D'un point d'analyse macroéconomique, le dollar a tendance à se déprécier si :

– Les taux réels américains chutent. Une chute des taux réels (taux moins inflation) se traduit par une hausse de l'inflation plus prononcée que la hausse des taux nominaux.

– Une politique monétaire expansionniste est menée. Si le bilan de la FED, banque centrale américaine, est en expansion soutenue, cela est plus à même de traduire une réticence des investisseurs envers le dollar. Une forte création monétaire est à la fois inflationniste et à la fois facteur de baisse des taux.

– Le déficit commercial et/ou la balance des paiements sont déficitaires. Un affaiblissement marqué de la situation commerciale et financière des États-Unis implique une expansion des dollars en circulation dans le monde, ce qui déprécie globalement sa valeur.

– Les flux de capitaux sont à la faveur de pays attractifs comme la Chine. Un flux de capitaux vers d'autres pays comme la Chine peut renforcer les monnaies traditionnelles (yen, yuan, euro, etc.) et faire chuter le dollar. C'est souvent le cas en raison d'une grande différence du taux de croissance.

– Enfin, la situation géopolitique. La Chine détenait par exemple en 2020 près de 1 100 milliards de dettes fédérales américaines et le Japon près de 1 300 milliards de dollars. Ces États ont la capacité graduelle d'attaquer directement ou indirectement le dollar. Une guerre économique accrue peut avoir un impact direct sur les taux, la force du dollar, et donc du Bitcoin par effet de chaîne. Pour finir, un dernier indicateur central peut être les liquidités disponibles. Le marché des cryptomonnaies réagit de manière amplifiée à la volatilité globale. La volatilité dépend directement des liquidités. Ces dernières années, le niveau des liquidités disponibles est devenu extrêmement dépendant de l'action des banques centrales (voir notre première partie). Ainsi, on peut anticiper les retournements sur cryptomonnaies en regardant à des indices de liquidités ou encore le bilan des banques centrales.

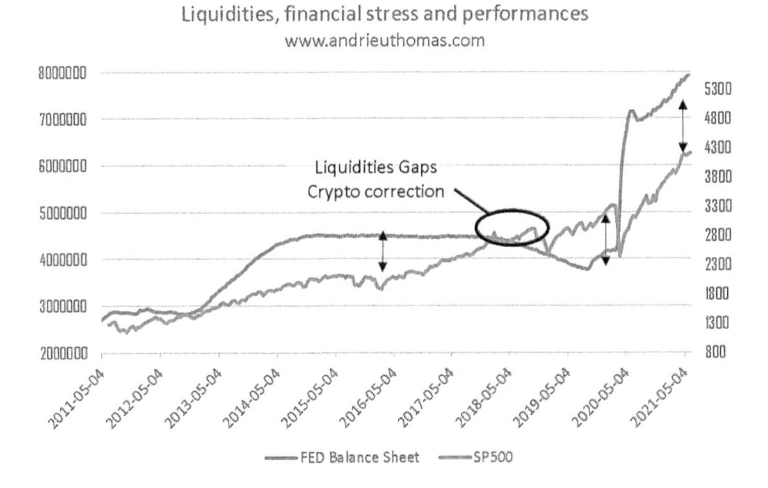

Figure 12 – Comparaison du bilan de la FED (droite) et du cours du S&P 500

À long terme, les performances des actions dépendent statistiquement de la part d'actions détenues en portefeuille par les agents[21]. Ainsi, le niveau global de liquidités va déterminer la plupart des évolutions des cours. Le graphique ci-dessus montre que les actions américaines sont restées sous-valorisées en rapport aux liquidités après la crise de 2008. Ce qui explique le rallye haussier sur actions qui a duré jusqu'en 2018. À partir du début d'année 2018, la banque centrale américaine a accéléré sa politique visant à réduire les liquidités disponibles. Cela a conduit à la correction forte et prémonitoire des cryptomonnaies. Dans cette perspective, le prochain signal monétaire à risque pour les cryptomonnaies pourrait ainsi se dégager avant la fin 2022.
Les marchés sont ainsi restés survalorisés par rapport aux liquidités disponibles jusqu'à la crise du COVID. Entre janvier 2020 et mi 2021, les banques centrales ont injecté en liquidités l'équivalent de 75 % du marché de

[21] Excellente analyse disponible sur eros-trading.com par Valentin Aufrand.

l'or physique mondial. Cela a inévitablement participé à la hausse prononcée du cours des cryptomonnaies :

Ainsi, l'étude du risque économique (taux à 10 ans moins taux à 2 ans, taux directeurs, etc.) est révélatrice des grandes dynamiques qui déterminent le cours du Bitcoin à long terme. Le cours du Bitcoin dépend avant tout des capitaux entrants ou sortants du marché.

Coefficients de corrélation

En 1896, Karl Pearson définit une formule destinée à mesurer le degré de corrélation qui existe entre deux variables. Karl Pearson (1857-1936) était un mathématicien britannique qui a développé la formule du coefficient de corrélation, qui a rapidement été appliquée à l'économie et la finance dans les décennies suivantes. Plus clairement, cette formule permet d'obtenir un chiffre en -1 et 1, qui mesure le degré de corrélation. Plus le nombre est proche 1, plus les deux actifs vont évoluer dans le même sens. Ainsi, plus la corrélation est proche de -1, plus les deux actifs vont évoluer dans des directions strictement opposées.
Pour illustrer cette théorie, on admet que l'or réagit à 100 % aux taux d'intérêt de manière inverse. Si les taux montent, l'or diminue. Inversement, si les taux diminuent, l'or montera d'autant plus. Ainsi, un coefficient proche de 0 signifie qu'il n'existe pas de corrélation entre

deux actifs, et que ceux-ci évoluent (théoriquement !) de manière indépendante.
Le Bitcoin montre des corrélations particulièrement fortes, même supérieures à celles d'actifs comme l'or. La dépendance du Bitcoin à certaines classes d'actifs est donc très forte, ce qui est plutôt un signe de fiabilité et de stabilité structurelle dans le temps. Le tableau ci-dessous reprend l'étude spéciale des coefficients de corrélation entre les cours du Bitcoin, du taux américain à 10 ans, du S&P500, de l'or et de l'indice dollar. L'étude des corrélations s'étend de 2015 à 2021, ce qui équivaut à 6 ans de statistiques ou près de 2 250 jours. À noter que les données du cours des actifs sont hebdomadaires, ce qui résulte dans des corrélations plus ou moins différentes des corrélations journalières.

	Bitcoin	US10Y	SP500	Gold	Dollar Index
Bitcoin		-0,3	**0,843**	0,653	-0,568
US10Y	-0,3		-0,387	**-0,794**	0,022
SP500	**0,843**	-0,387		**0,827**	-0,49
Gold	0,653	**-0,794**	**0,827**		-0,375
Dollar Index	-0,568	0,022	-0,49	-0,375	

Source : www.andrienthomas.com - 2015-2021

Figure 13 – Tableau exclusif des coefficients de corrélation longs du Bitcoin, avec le taux à 10 ans (US10Y), le S&P500, l'or, et l'indice dollar ; 2016-2021

On observe que le coefficient de corrélation du Bitcoin est de -0,3 pour le taux à 10 ans ; 0,84 pour le S&P500 ; 0,65 pour l'or ; et -0,57 pour l'indice dollar. C'est-à-dire que le Bitcoin est très dépendant de l'évolution de l'indice des actions américaines (S&P500) ou encore de l'or métal ou de l'indice du dollar américain. D'autre part, on observe que le taux à 10 ans est très fortement corrélé à l'or (-79 %). De même, l'or et le SP500 sont fortement corrélés positivement entre eux (+83 %).

Enfin, on notera que cette étude des corrélations s'étend sur près de 2 250 jours, ce qui relève du long terme (5 ans). Nous aurions également pu établir les corrélations à moyen terme (6 mois à 2 ans) et à court terme (moins de 200 jours). En effet, les coefficients corrélations peuvent être très fluctuants selon les périodes considérées.
Ainsi, le taux corrélation entre Bitcoin et S&P500 est très élevé, près de 85 % ! Le S&P500 est un indice d'actions américaines, comprenant notamment les géants du numérique comme Amazon, Apple, Microsoft, Facebook, Alphabet, Pfizer, ou encore de très grandes banques comme JP Morgan, Citigroup, etc. Cet indice reflète le cœur de la puissance financière du système capitaliste mondial. Les statistiques montrent aussi qu'il est un des principaux actifs dirigeants, et de nombreux actifs dépendent fortement de son évolution, dont principalement l'or, et le Bitcoin dans notre cas.

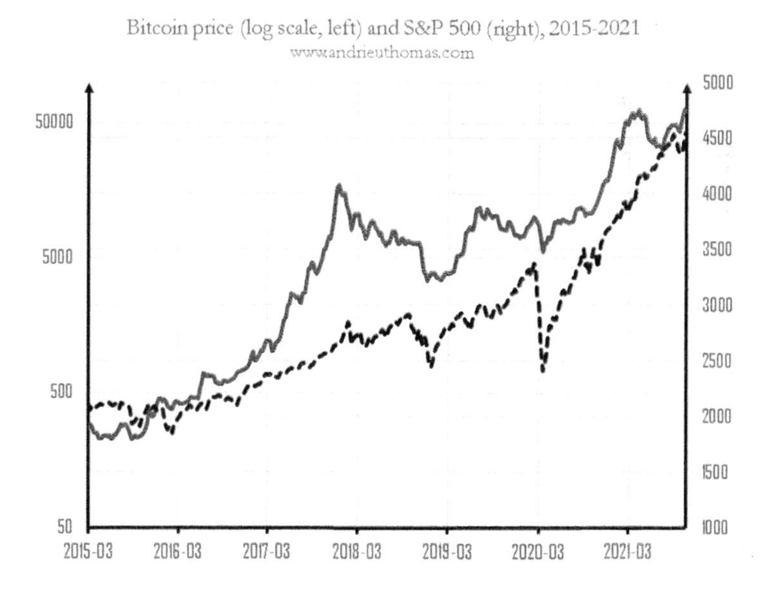

Figure 14 – Comparaison entre le Bitcoin (échelle logarithme, gauche) et le S&P 500 (échelle normale, droite), 2015-2021

La corrélation à long terme (plus de 4 ans) est relativement persistante entre Bitcoin et S&P500. Le ralentissement des performances haussières du S&P500 s'accompagne généralement d'une correction des cryptomonnaies. Ainsi, il est important de regarder les anticipations d'évolution du S&P500 à long terme pour mettre en relation l'évolution des cryptomonnaies dans le temps. Ainsi, un déterminant majeur de l'évolution du S&P500 à long terme est le taux directeur ou encore le niveau de liquidités disponibles. De plus, on ne reviendra jamais assez sur le fait que tous les retournements baissiers majeurs du Bitcoin (novembre 2015, février 2017, janvier 2018, novembre 2018, juillet 2019...) ont été très souvent suivis d'une forte correction du S&P500 ; simplement car la sensibilité aux liquidités est plus forte sur le Bitcoin, qui sert dès lors d'indicateur de liquidités.
L'autre comparaison importante avec le Bitcoin est celle de l'or, comme montré précédemment (voir figure 7). Statistiquement, le Bitcoin est 3,5 fois plus volatile que l'or. C'est-à-dire que les variations de nature extrême sont en moyenne 3,5 fois plus importantes sur le Bitcoin que sur l'or. Néanmoins, les deux actifs ne sont pas dénués de corrélations. Les sommets de 2017 et de 2021 sur Bitcoin ont été précédés par une hausse de l'or, puis d'un point bas simultané au sommet sur la cryptomonnaie.
L'or et le Bitcoin ont une très forte corrélation, de près de +66 % ! Ce qui en fait deux actifs assez dépendants l'un de l'autre. Néanmoins, l'or et le Bitcoin se décorrèlent régulièrement du fait de la structure différente du marché. Effectivement, l'or demeure un actif bien moins spéculatif et reste largement plus dépendant aux taux (-80 %) que le Bitcoin (-30 %). Ainsi, l'or et le Bitcoin sont corrélés la majeure partie du temps à long terme. Corrélation ajustée de la cyclicité, l'or a souvent une avance relative sur

le Bitcoin, précisément du fait de l'impact des taux sur le cours du S&P500, suivi de l'impact sur le Bitcoin qui en découle. On retrouve donc ici les processus décrits précédemment.

Par ailleurs, l'étude de la devise dans laquelle est exprimé un actif est d'une importance centrale. La corrélation entre le Bitcoin et le dollar est assez notable, avec près de -57 % ! Cela signifie que les mouvements du Bitcoin et de l'indice dollar sont majoritairement opposés. L'indice dollar est un indice qui reprend le taux de change du dollar avec 6 autres grandes monnaies (yen, euro, etc.). L'indice dollar permet donc de mesurer la force ou la faiblesse du dollar dans le temps.

Comme nous l'avons montré précédemment (figure 11), les grandes phases d'ascension durables du Bitcoin se déroulent toujours lors des périodes d'affaiblissement global du dollar. Inversement, le Bitcoin est amené à corriger fortement lors des périodes de renforcement du dollar. On notera ainsi, en comparaison aux 5 dernières années, que le dollar est relativement faible ; mais comparativement aux 10 dernières années, le dollar est plutôt élevé (l'indice est à 100 contre 80 en 2011).

Étonnamment, la corrélation à long terme entre taux souverains et indice dollar est quasi nulle sans considérer la cyclicité. Pourtant, l'évolution des taux et des liquidités disponibles est au cœur de la hausse ou la baisse du dollar. Enfin, le Bitcoin possède également une corrélation (hors cyclicité) non négligeable avec les taux souverains (corrélation de -30 %).

Force est de constater que le Bitcoin est un actif dépendant des grandes classes d'actifs à long terme, c'est un fait statistique. La formule de corrélation établie à la toute fin du XIXe siècle par Pearson permet de mesurer quelles sont les corrélations absolues des grands actifs avec le Bitcoin. On observe que la corrélation du Bitcoin

est de près de 85 % avec le S&P500, 65 % avec l'or, -56 % avec l'indice dollar et -30 % avec les taux souverains. En considérant la cyclicité et certaines figures très simples de répétition, on s'aperçoit que ces corrélations sont bien plus déterminées. Ainsi, l'évolution du S&P500 et de l'or sont les deux premiers indicateurs à regarder pour contextualiser le Bitcoin à long terme. Enfin, les taux ou encore le dollar sont aussi des indicateurs en lien indirect, mais régulièrement puissant, au Bitcoin.
La conclusion statistique évidente est que le Bitcoin est à mi-chemin entre actif refuge et actif technologique, à la fois très dépendant du système par son caractère spéculatif, mais également antagoniste au système par sa structure d'évolution.

Le déterminant des cryptomonnaies : la masse monétaire

Nous avons calculé la corrélation entre le Bitcoin et le S&P500, qui se rapproche de 90 % avec une échelle de temps longue. À partir de cette donnée, nous pouvons exploiter une observation récente, mais absolument déterminante. En raison du contexte monétaire actuel, on observe que la corrélation entre la masse monétaire et le S&P500 atteint 99 % à long terme. Pour rappel, la masse monétaire correspond à l'ensemble des quantités de monnaie en circulation dans le système économique. Ainsi, pour faire monter la Bourse, créez de la plus simple des manières de la monnaie. Cette observation met en lumière le lien évident et déterminant qui existe entre Bitcoin et masse monétaire.
C'est le grand paradoxe des principaux actifs « refuge » : leur prix et leur dynamisme sont très dépendants du système central. En réalité, on s'aperçoit que le rôle des banques centrales et des États dans la hausse des cryptomonnaies (et même de l'or et de l'immobilier) ces dernières années est prépondérant.

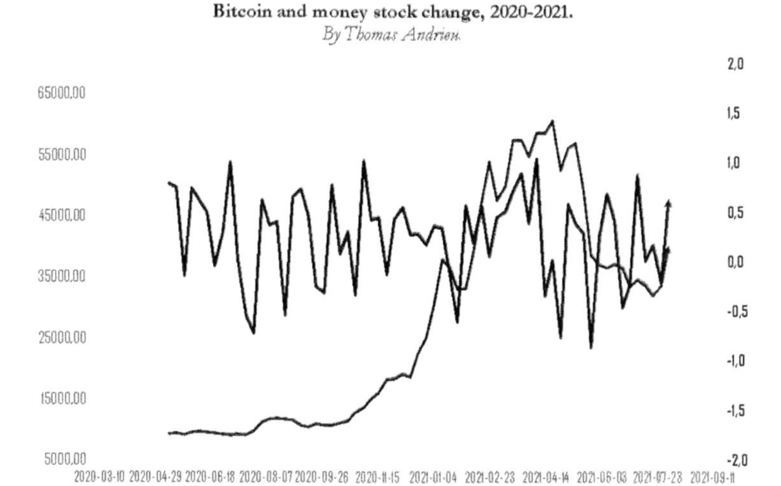

Figure 15 – Graphique montrant le cours du Bitcoin (gauche) et le taux de variation hebdomadaire de la masse monétaire M2 pour les États-Unis (droite)

Le graphique ci-dessus compare le taux de variation de la masse monétaire (à regarder par rapport à la ligne 0 de l'axe de droite) et l'évolution du Bitcoin. On observe que le Bitcoin s'insère durablement dans un bull run lorsque le taux d'accroissement de la masse monétaire est durablement au-dessus de 0 %. À l'inverse, une diminution du taux d'accroissement de la masse monétaire, et un passage sous 0 % impliquent une forte correction du Bitcoin. La forte correction d'avril 2021 s'inscrit ainsi dans le cadre d'un resserrement relatif de liquidités de la part de la FED. Statistiquement, dans plus de 2/3 des cas, la hausse de la masse monétaire implique la hausse du Bitcoin, tandis que la baisse de la masse monétaire (taux inférieur à 0 %) implique une correction des cryptomonnaies. Cette estimation ne tient pas compte des dynamiques temporelles, qui montreraient certainement une forte détermination du cours des cryptomonnaies par la variation de la masse monétaire.

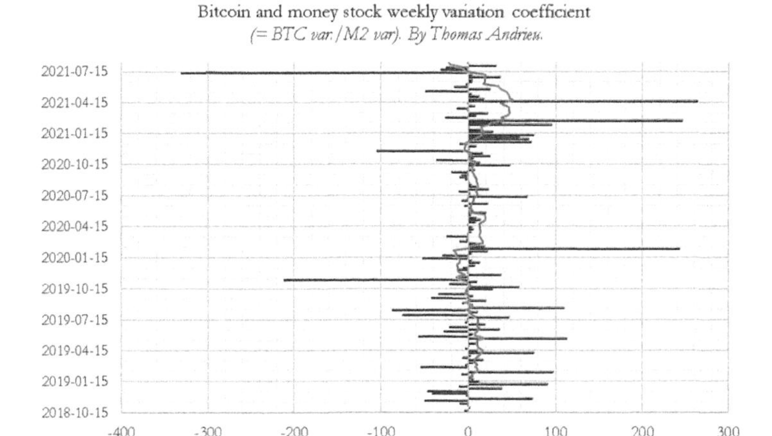

Le graphique ci-dessus illustre parfaitement notre description du phénomène. Les colonnes correspondent au rapport entre la variation hebdomadaire du Bitcoin et la variation hebdomadaire de la masse monétaire (BTC/M2). Écrit plus simplement, plus les barres sont à droite de la ligne centrale du graphique, plus la corrélation Bitcoin/Masse monétaire est forte et intense. Au contraire, il arrive plus rarement que cette corrélation soit inverse, ce qui traduit des colonnes plus à gauche sur le graphique. La ligne centrale montre la moyenne sur 15 semaines du coefficient (variation BTC/variation Masse monétaire).
On observe que la relation entre la masse monétaire et le prix du Bitcoin s'accroît fortement depuis 2018, et en particulier depuis l'été 2020. On observe en effet des coefficients de corrélation positifs autour de 20 en moyenne. C'est-à-dire qu'une hausse de 0,5 % de la masse monétaire sur une semaine traduirait une hausse autour de 10 % du Bitcoin sur la même période, de même pour les baisses.
Ainsi, entre le 12 et le 26 avril 2021, la masse monétaire a reculé en l'espace de deux semaines de près de 1,1 % à

partir de la semaine du 12 avril. On rappellera que la hausse moyenne hebdomadaire de la masse monétaire est de 0,25 % par semaine depuis 2019, ce qui rend une baisse de 1 % particulièrement violente. Le sommet absolu sur le Bitcoin a été atteint la semaine du 14 avril 2021, après quoi le Bitcoin a chuté de plus de 20 % jusqu'au 26 avril (chute de 13 % en hebdomadaire). La hausse de la masse monétaire qui a suivi a stoppé cette première baisse. Des réajustements monétaires similaires, voire prolongés, aboutiraient à des risques similaires à ceux connus au printemps 2021 sur le marché des cryptomonnaies. Dans un cas extrême, si l'on estime par exemple une variation de la masse monétaire de -1,5 % sur deux semaines consécutives, cela pourrait provoquer une correction sur le cours du Bitcoin de 14 % à 25 % selon la force du mouvement monétaire.
D'une autre manière, nous pouvons voir que l'expansion de la masse monétaire détermine les possibilités d'expansion du Bitcoin. De manière graphique, on peut ainsi observer le fait que le Bitcoin progresse dans la limite des liquidités disponibles. Néanmoins, l'intensité de hausse du Bitcoin demeure supérieure à celle de la masse monétaire. La masse monétaire est un indicateur majeur de variation du Bitcoin dans le temps.
À partir de ces observations structurelles, on peut déduire la réaction hypothétique du Bitcoin et des cryptomonnaies face à un effondrement monétaire. On suppose que les monnaies traditionnelles, comme l'euro ou le dollar, subissent un puissant effondrement monétaire. On part donc ici de l'hypothèse que les cryptomonnaies dépendent du taux d'accroissement de la masse monétaire. De même, la masse monétaire peut s'exprimer de la manière suivante (voir relation de Fisher) :

Masse monétaire x Vélocité[22] *= PIB = PIB réel x Inflation*

Soit encore :

Masse monétaire = PIB / Vélocité = (PIB réel x Inflation) / Vélocité

À partir de cette équation, on peut donc déduire qu'une hausse du PIB (de la production ou de l'inflation) serait globalement favorable aux cryptomonnaies. Néanmoins, si l'inflation est due à une hausse de la vitesse de circulation de la monnaie, l'impact serait neutre, voire fortement baissier pour les cryptomonnaies. De plus, différents scénarios de réaction des cryptomonnaies face à un effondrement apparaissent. On distingue ainsi plusieurs scénarios d'effondrement de la monnaie et on en déduit les conséquences probables sur les cryptomonnaies.
Premièrement, un effondrement monétaire du fait d'un effondrement économique : la déflation devient persistante et la vitesse de circulation de la monnaie s'effondre. L'effondrement de la vitesse de circulation de la monnaie, pour un même PIB, est un facteur haussier pour les cryptomonnaies. Néanmoins, le potentiel haussier se réduit au fur et à mesure que la déflation détruit le dynamisme économique (la croissance).
Deuxièmement, un effondrement monétaire du fait d'une crise inflationniste ou crise des dettes publiques : la masse monétaire atteint un blocage du fait de l'insolvabilité de certains agents, ce qui provoque une hausse des taux et une hausse généralisée des prix. Dans ce cas, la contraction du PIB réel et la hausse de l'inflation reviennent à s'annuler, surtout si la hausse des taux s'accompagne d'une hausse mécanique de la vélocité. Ce pourrait donc

[22] La vélocité correspond à la vitesse de circulation de la monnaie dans l'économie.

être un facteur dynamique fortement baissier pour les cryptomonnaies. Dans le cas d'une hyperinflation, avec une expansion continue de la masse monétaire, les cryptomonnaies suivraient probablement la hausse, mais le rapport aux prix courants pourrait être drastiquement différent.
En conclusion, le plus souhaitable à ce jour pour les cryptomonnaies est une baisse perpétuelle des taux avec une forte abondance de liquidités et une chute de la vélocité comme c'est le cas depuis plus de 20 ans. À l'inverse, des politiques de rigueur budgétaire ou monétaire seraient des facteurs fortement baissiers pour le cours des cryptomonnaies.

2. Influences cycliques de marché

Cycles et cryptomonnaies

L'analyse menée dans la partie précédente nous permet de mieux saisir les dynamiques qui animent le Bitcoin. Il s'agira ici d'approfondir autant que possible ces corrélations de marché et la structure du marché afin de comprendre le cœur même d'un marché devenu mondial et, par-dessus tout, incontournable. Avant toute chose, la diffusion et la démocratisation des cryptomonnaies impliquent leur mise en relation avec des dynamiques économiques et financières déjà existantes. Effectivement, la croissance du marché des cryptomonnaies est telle qu'elle pose nécessairement des questions de soutenabilité.
Économiquement, il est indéniable que les cryptomonnaies sont une innovation économique qui génère des gains de productivité. Ce qui garantit jusqu'ici aux cryptomonnaies un plancher de granite. Après l'éclatement de

la bulle spéculative de fin 2017, les cryptomonnaies ont chuté de près de 85 % jusqu'en 2019. Sans les incitations à l'innovation provenant de la bulle de 2017, les cryptomonnaies n'auraient pas connu une deuxième phase de hausse. En 2016 et 2017, de très nombreuses entreprises se sont effectivement positionnées autour des cryptomonnaies et de la Blockchain. Leur succès économique est indéniable et a joué un rôle central pour finir de convaincre les institutionnels à investir massivement en 2020 et 2021. En clair, ou bien les cryptomonnaies sont la plus grande bulle de tous les temps, ou bien elles ne sont pas uniquement une bulle et il est important de distinguer le réel de l'illusion. Pour en savoir plus, voir mon article sur les bulles spéculatives pour cointribune.com :

Le caractère économique des cryptomonnaies leur garantit une dynamique fondamentale. À côté de cela, il y a effectivement un caractère spéculatif. On parle de spéculation quand le cours est déconnecté de la valeur fondamentale. Les plus critiques diront que les cryptomonnaies n'ont pas de valeur fondamentale, ce qui n'est pas véridique. En effet, derrière les cryptomonnaies, il y a des centaines de sociétés capitalisées des centaines, des milliards, voire des dizaines de milliards de dollars. Ces sociétés génèrent des résultats de plusieurs milliards de dollars (Binance, Coinbase, etc.).

S'agissant de cryptomonnaies non affiliées à une entreprise comme Bitcoin ou Ethereum, il s'agit de gains de productivité indirects. Cependant, il est indéniable que l'importance de la spéculation reste considérable. Dans tous les cas, on ne peut pas résumer les cryptomonnaies à une innovation ni à une bulle spéculative, simplement car il s'agit des deux.

Les phases de forte spéculation arrivent souvent après un premier mouvement institutionnel ou semi-institutionnel. Ce mouvement spéculatif dure jusqu'à ce qu'une nouvelle phase de stress financier de moyen terme au moins se manifeste. Il y a donc de toute évidence un plafond de verre au cours des cryptomonnaies. L'hyperconcentration des capitaux sur un secteur avec encore peu de résultats est inévitablement un facteur baissier sur le cours des cryptomonnaies. La baisse est ainsi particulièrement menaçante dans un contexte de stress institutionnel et de forte spéculation précédant le retournement de marché.

Si l'on regarde plus attentivement, les quantités globales de Bitcoins en circulation suivent une fonction logarithme. Si l'on applique la fonction inverse (exponentielle), on obtient une courbe théorique de l'évolution du prix du Bitcoin pour une demande constante. Cette courbe exponentielle du prix du Bitcoin n'est évidemment pas réaliste. La rareté du Bitcoin se confronte donc à des limites technologiques et de démocratisation, ce qui se répercute sur le prix. Par nature, le Bitcoin suit donc jusqu'ici un canal de prix à tendance logarithmique.

Le graphique ci-dessous reprend le prix du Bitcoin en échelle logarithme. On observe clairement un canal de prix dans lequel le Bitcoin évolue parfaitement depuis de nombreuses années. La mesure logarithme du Bitcoin est plus cohérente avec la structure du marché, et plus pertinente à l'analyse qu'un graphique linéaire.

Figure 16 – Graphique montrant le canal logarithme engagé sur le Bitcoin, 2016-2021. Source : Tradingview

En suivant ce canal, il est presque impossible d'imaginer un Bitcoin durablement sous les 12 000 $ à 15 000 $ à long terme, par exemple. De plus, le seuil intermédiaire semble tendre vers une fourchette de prix autour des 40 000 $ à 50 000 $ dans les prochaines années. Ce canal haussier intermédiaire a par exemple été atteint en septembre 2017, juillet 2018, juin 2019 et décembre 2020/janvier 2021.
Si l'on approfondit une analyse temporelle, on s'aperçoit de régularités de marchés classiques. Entre les points de septembre 2017 et juillet 2018, nous avons 322 jours. C'est aussi la période exacte qui sépare la fin du point de juillet 2018 avec le sommet de juin 2019. 322 jours sont en économie de marché la manifestation d'un cycle structurel par confrontation de l'offre et de la demande. Effectivement, 322 jours équivalent à 0,879 année. Multiplié par 12, cela nous donne 10,55 ans (cycle de Jevons et Ragnar Frisch).
Plus que cela, si l'on multiplie 322 jours par le nombre d'or (1 618[23]), on obtient 520 jours. 520 jours correspondent à la période exacte qui sépare la fin du sommet intermédiaire de juin 2019 et le point de décembre 2020.

[23] Racine carrée de 5/6 de Pi, ce qui lie les périodes énoncées avec des cycles structurels de confiance.

Cela fait en partie référence aux études du trader Tom Hougaard sur l'analyse temporelle à l'aide des ratios de Fibonacci.
De plus, on peut également mener une courte analyse cyclique endogène au cours du Bitcoin. Pour ce faire, il faut mettre en avant la durée des phases de hausse ou de baisse entre les lignes de tendance logarithme du bas, du milieu et du haut (principaux supports et résistances). Le tableau ci-dessous reprend la durée de l'ensemble de ces phases en jours sur la période 2017-2021. Les périodes en jours sont ensuite décimalisées et multipliées selon la théorie cyclique fractale classique admise. On obtient alors des cycles remarquables malgré la faible étendue temporelle de l'étude.

Duration of rising or falling periods between two logarithmic Bitcoin channels[24] *-Study on 2017-2021-* **www.andrieuthomas.com**			
Duration of the rise (in days) and notable cycles		**Duration of the falling and notable cycles**	
216 days	7.16 years (=5/6*8.6)	261 days	8.6 years
86	2.87 y (=1/3*8,6)	218	7.16 y
145 & 190	4.7 y (=1.618*2.9 y = 1.33*6.3 y) & 6.3 y	147 & 190	4.7y & 6.3 y (=8.6*0.7325)
261	8.6 y	262	8.6 y
[...]	[...]	[...]	[...]

Figure 17 – Tableau des cycles absolus remarquables sur le cours du Bitcoin

[24] Les cycles notables sont obtenus en prenant la période de hausse ou de baisse annualisée, puis multipliée par 12 vagues. Pour 261 jours, par exemple, cela nous donne :
261 / 365.25 = 0,715 et 0,71 x 12 = 8,6

Sans grande surprise, nous retrouvons un cycle particulièrement persistant de 8,6 années[25] (soit 8,6 mois en divisant par 12). Période mise en avant par certains analystes techniques sur Bitcoin comme Vincent Ganne[26]. Nous retrouvons ensuite des composantes de ce cycle primaire, comme avec des périodes de 7,16 années ou 2,87 années. Enfin, on notera deux cycles juxtaposés de 4,7 et 6,3 années autour de 2019, soit un cycle moyen de 5,6 années, ce qui rejoint les cycles de William Jevons et d'autres structures cycliques.
Ces cycles sont très pertinents. Par exemple, entre le point bas majeur de mars 2020 et le sommet de mi-avril 2021, se sont écoulés très exactement 392 jours. C'est-à-dire exactement 1,5 cycle de 8,6 mois. La mise en avant de dates sensibles par une analyse très simpliste et empiriste des cycles de marché permet de conforter des périodes d'opportunités ou de risques.
Ayant longuement analysé temporellement de nombreux marchés, il ne fait pas de doute que la période de 8,6 est une période qui influence la quasi-totalité des marchés. Sur mon site www.andrieuthomas.com, je suis spécialement revenu sur les raisons d'existence même de ce cycle économique :

[25] Ragnar Frisch and the 8.6 years cycles – andrieuthomas.com
[26] « Bitcoin : l'histoire ne fait que commencer ? », une interview de Vincent Ganne, avril 2021 – YouTube.

Nous ne reviendrons pas plus en détail sur les cycles propres aux cryptomonnaies et au Bitcoin. La combinaison dynamique de cycles endogènes dans le temps nécessite une modélisation des cours. Néanmoins, cette analyse est révélatrice de régularités classiques sur le cours du Bitcoin. Le Bitcoin ne réagit pas aléatoirement dans le temps.

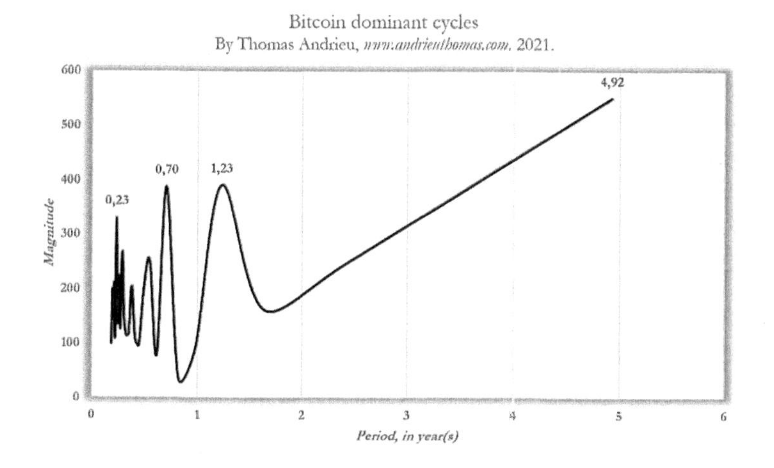

Figure 18 – Cycles primaires les plus influents sur le cours du Bitcoin, période 2015-2021

Voici en exclusivité une étude qui n'a jamais été menée à ma connaissance. Il s'agit d'une étude statistique, linéaire et cyclique, sur les cycles les plus prédominants sur le Bitcoin. À long terme, le principal cycle dominant est un cycle de 4,9 années, suivi d'un cycle de 1,23 an, puis 8,4 mois, et enfin 2,7 mois. En appliquant ce schéma de principaux cycles dans le temps, on retrouve effectivement les sommets et points bas observés sur le Bitcoin depuis 2015. Cette étude sera détaillée dans les prochains mois, sur mon site www.andrieuthomas.com[27]. Cette étude montre

[27] En espérant publier dans quelques années un ouvrage théorique sur la question de l'étude cyclique, bien trop sous-estimée dans la finance et l'économie aujourd'hui.

la récurrence forte de principaux cycles de long terme, tandis que les cycles de court terme sont plus fréquents et nombreux.

Optimiser sa gestion

Il est rare de trouver des études sur la temporalité des marchés, d'autant plus sur l'évolution de cette cyclicité dans le temps. L'étude de l'intensité et de la fréquence du risque de perte en fonction de ses horizons d'investissement (une minute, une semaine, un mois, un an, etc.) permet de mettre en avant une gestion fortement optimisée des cryptoactifs.

Les cryptomonnaies comptent comme un des marchés les plus volatils, avec des risques de pertes et des possibilités de gain tous deux élevés. Néanmoins, certains horizons de temps sont plus ou moins risqués, tandis que certaines périodes sont cycliquement plus appropriées pour se positionner. Nous nous concentrerons ici sur les horizons les plus intéressants pour se positionner sur les cryptomonnaies. Par ailleurs, nous ne considérons pas ici au premier abord la cyclicité des marchés, ni les compétences des investisseurs et leur probabilité individuelle de gain.

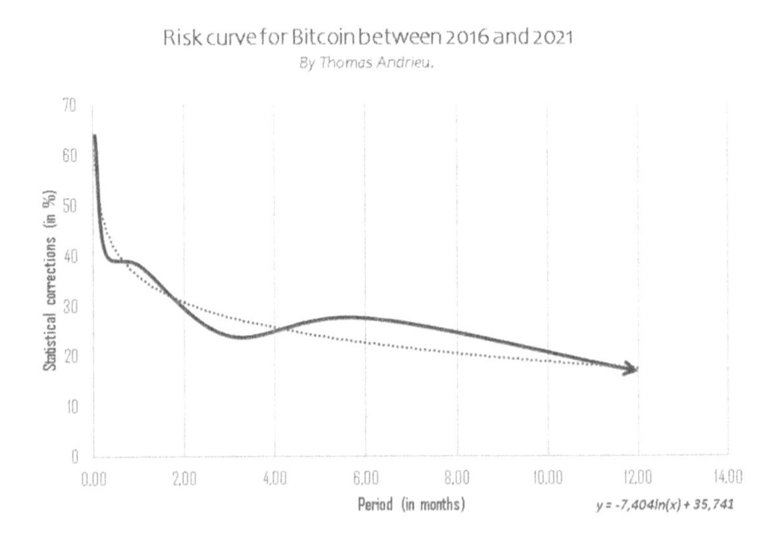

Figure 19 – Courbe du risque sur le Bitcoin : fréquence des corrections selon l'horizon d'investissement (en mois)

Des études rarement réalisées sont celles concernant les horizons de temps les plus favorables à l'investissement sur un actif donné. La courbe ci-dessous, spécialement calculée pour cet article, montre le degré de risque sur le Bitcoin (fréquence de correction) en fonction de ses horizons d'investissement (de 1 jour à 1 an). À partir des données de variation (journalières, hebdomadaires, mensuelles, trimestrielles, etc.), nous calculons le pourcentage de corrections qui ont pris effet sur chaque période concernée et nous rassemblons ensuite ces données. Nous obtenons une courbe du risque en fonction des périodes de temps. Comme nous l'expliquerons, on observe que la fréquence de corrections est plus élevée à court terme qu'à long terme.
Cette courbe nous renseigne également de manière implicite sur la récurrence de principaux cycles sur le prix du Bitcoin. Des cycles baissiers sont très récurrents à court terme, tandis que les cycles haussiers vont prédominer à long terme. De plus, on remarque par exemple que les cycles haussiers de 3 mois (sans calcul de précision) ou d'une semaine sont plus persistants que la normale. À l'inverse, les cycles baissiers sont plus persistants que la normale dans un horizon de temps compris entre 5 et 9 mois. Ces observations rejoignent celles sur la cyclicité du Bitcoin. Cette courbe de risque nous permet de déduire la fréquence de correction (de perte) en fonction de la période de positionnement sur le marché.
Le graphique précédent nous démontre également la nature logarithme du Bitcoin. Le Bitcoin suit à long terme des cycles haussiers tandis que les risques correctifs à court terme sont très persistants. En bref, la fréquence de correction du marché augmente avec les courtes échelles de temps. De toute évidence, enchaîner les investissements sur de courtes échelles de temps implique des risques relativement élevés.

À court terme, investir sur les cryptomonnaies dans une perspective de moins d'une semaine demeure relativement risqué. L'observation qui découle de cette étude est que le risque est quasi-exponentiel au fur et à mesure que les périodes deviennent courtes. Entre 2016 et 2021, sur plus de 2 000 variations journalières, le risque de perte est de 63,9 % du temps. C'est-à-dire que plus de 1 300 jours ont été baissiers depuis 2016. Cela signifie qu'un investisseur qui prend des positions chaque jour aura en moyenne près de 2 chances sur 3 de perdre dans le temps, ce qui est conséquent. La fréquence de correction devient plus raisonnable (40 % à 45 %) avec des périodes de positionnement supérieures à 5 ou 6 jours. Si un investisseur se positionnait de manière hebdomadaire depuis 2016, sa fréquence de perte serait de 40 % (on dénombre près de 119 semaines baissières depuis 2016 sur un total de près de 300).

À moyen terme, c'est-à-dire sur quelques mois, le risque faiblit sur Bitcoin, et l'évolution mensuelle du marché devient plus intéressante pour se positionner. Comme le montre le graphique, on notera en particulier le creux de risque qui existe dans une perspective de 3 mois. En effet, le risque de correction trimestriel n'est que de 23,8 %, ce qui est en dessous de la courbe théorique de risque (courbe en pointillés). Cela signifie que le risque de correction à 3 mois est équivalent au risque de correction théorique à 7 mois, ce qui correspond aussi sur le graphique au risque de correction statistique observé à 9 mois, ce qui n'est pas négligeable. En clair, la fréquence de correction du Bitcoin est la même sur une échelle de 3 mois que de 8 mois environ. Le risque de correction devient donc relativement intéressant sur quelques mois. Le risque de correction sur les performances mensuelles depuis 2016 est de 38 %, contre 23,8 % de risque correctif sur un horizon de trois mois.

De manière comparative, la fréquence de correction est assez élevée sur un horizon d'un mois, tandis qu'elle demeure très faible sur un trimestre.

À long terme, le risque de correction diminue en fonction de l'échelle de temps. Le Bitcoin n'a eu des performances baissières annuelles qu'une fois depuis 2016 (en 2019). La fréquence de correction faiblit avec de grandes échelles de temps, en particulier pour des raisons monétaires. Sur 6 mois, la fréquence de correction du Bitcoin est de 27 %. Enfin, la fréquence de correction n'est plus que de 16,6 % sur un horizon de 12 mois.

Au-delà de la question de la fréquence des corrections selon les échelles de temps, nous pouvons également considérer l'intensité des corrections ou des hausses déterminées par leur fréquence d'apparition. L'intensité des corrections, même très peu fréquentes, est une question centrale en matière d'investissement. Des corrections d'une rare violence peuvent prendre effet alors que la fréquence de correction du marché est très faible.

Tandis que la fréquence des corrections diminue avec le temps long, la volatilité augmente. Si l'on mesure la volatilité annualisée à partir de chaque période considérée, nous obtenons les volatilités suivantes pour le Bitcoin. Pour simplifier, une volatilité de 77 % signifie que le Bitcoin a près de 68 % de chances d'évoluer autour de 77 % de son cours sur un an, à la hausse ou à la baisse. Un Bitcoin à 30 000 $ avec une volatilité de 77 % traduit le fait que le Bitcoin a plus de deux chances sur trois de se retrouver entre 6 900 $ et 53 000 $.

Paradoxalement, la volatilité augmente selon la longueur des données considérées. Bien que les risques de correction diminuent avec les longues périodes, l'intensité des variations annualisées s'accroît. En bref, les corrections sur de grandes périodes sont moins fréquentes mais plus intenses. On notera enfin que les performances moyennes sont plus élevées dans le temps long du fait de la persistance de cycles haussiers. Ainsi, une volatilité de 115 %, par exemple, signifie évidemment que le potentiel haussier est plus fort que le potentiel baissier, mais que le cours peut ainsi doubler tout comme s'effondrer à zéro. Les performances moyennes mensuelles depuis 2016 sont ainsi de +9,18 %. Sur le Bitcoin, la plus grande volatilité dans le temps profite donc avant tout aux cycles haussiers.

Volatilité annualisée du Bitcoin (2016-2021)	
Données considérées	*Taux de volatilité*
Journalières	45 %
Hebdomadaires	66,72 %
Mensuelles	80,4 %
Trimestrielles	115 %
MOYENNE	**76,8 %**

Nous avons donc vu que le positionnement à long terme impliquait un faible niveau de risque, malgré le faible recul statistique. Néanmoins, certaines périodes semblent être plus intéressantes que d'autres. Le graphique ci-dessous reprend le taux d'accroissement de la courbe de risque du Bitcoin (courbe du bas avec le point H). On observe que la diminution du risque sur le Bitcoin est très rapide sur une échelle de quelques semaines et atteint un palier à partir de 3 mois. Simplement écrit, une période optimale pour gérer faible fréquence de perte et bonne mobilité sur le marché est l'investissement dans un horizon de 3 mois environ. En effet, passé trois mois, la fréquence de perte sur le marché diminue plus faiblement. Un investisseur compétent et expérimenté sur les cryptomonnaies peut donc optimiser ses performances dans une perspective principalement trimestrielle.

Cette simple considération statistique peut ainsi radicalement changer la gestion d'un portefeuille en cryptomonnaies. L'étude de la fréquence des corrections et de leur intensité permet en outre de déduire la cyclicité du marché.

Qu'en déduire plus concrètement ? Les analystes ont tous en tête ce fameux dicton : « *90 % des traders sont perdants, 90 % des investisseurs sont gagnants.* » C'est précisément ce que l'on démontre ici. Nous soulignons des données purement factuelles qui correspondent à une réalité statistique : un trader qui prend des positions journalières sur le bitcoin possède près de 50 % de chances[28] de perdre en moyenne la moitié de son capital au bout d'un an[29]. Ce qui est tout à fait considérable ; bien que nous considérions ici un pari à sens haussier uniquement, et sans levier.

On retrouve cette observation théorique de forte perte à court terme dans les statistiques des différents brokers. Plus que cela, on insistera sur la conséquence extrêmement négative des effets leviers à court terme. Les chances d'être gagnant dans la durée en jouant à court terme sont presque nulles, en particulier passé un effet de levier entre 20 et 30. À long terme, le constant est beaucoup plus encourageant. On effectue le même calcul statistique avec des positions mensuelles. Statistiquement, un trader qui prend des positions mensuelles aura en moyenne la chance de doubler son capital au bout de

---

[28] Loi binomiale.

[29] La fréquence de perte journalière est de 63 %. Sur 350 positions journalières, soit une année de trading, 220 seront perdantes (63 % de 350), avec une moyenne de perte statistique de 1,1 % de la mise, sans levier. On a donc : $0{,}989^{220} = 8{,}07\ \%$. Mais nous ajoutons également les 130 positions gagnantes. En moyenne, les positions journalières sont gagnantes de 1,41 %. Ainsi : $0{,}0141^{130} = 6{,}17$. 1,0141**130=6,17. La moyenne obtenue sur 350 positions est donc de : 8,07 % × 6,17 = 0,498.

12 mois. En effet, la moyenne des pertes sur les positions mensuelles est de 4,13 %, contre 13 % de gain en moyenne pour les positions gagnantes. De plus, les mois perdants sur le Bitcoin représentent 38 % de tous les mois enregistrés. On en déduit ainsi que passé une perspective d'un mois, les gains espérés sont colossaux en comparaison à d'autres marchés. Il est ainsi important de prendre des positions d'au moins une semaine pour rester à peu près à l'équilibre sur son capital.
Maintenant que nous avons vu la moyenne de l'état financier de tous les utilisateurs, vous saurez où vous situer, ou bien comment vous positionner plus agréablement dans le futur. Évidemment, ces observations de gains et de pertes sont des moyennes pour l'ensemble des acteurs du marché, et certaines exceptions très expérimentées peuvent s'inscrire à l'opposé de la fortune ou de la ruine. Nous rappellerons ainsi l'importance centrale de la temporalité sur les marchés. Les cryptomonnaies peuvent enrichir très vite, mais l'inverse est aussi profondément véridique, comme nous l'avons démontré dans les deux sens.

Statistiques sur cryptomonnaies

Un autre aspect majeur du Bitcoin, et des cryptomonnaies au sens large, est l'étude des statistiques. Bien que les données statistiques sur Bitcoin soient relativement limitées sur quelques années, les mêmes logiques financières et lois de marché émergent.
Le Bitcoin suit des lois de marché fondamentales. Le graphique ci-dessous représente la distribution des variations d'un jour sur l'autre. Les variations journalières sont mesurées par un coefficient (inférieur à 1 si la variation est négative, supérieure à 1 si celle-ci est positive). Mathématiquement, il s'agit d'une distribution de Lévy tronquée, ou distribution suivant une loi stable. La distribution des variations du Bitcoin montre

plusieurs statistiques. La variation journalière moyenne depuis juin 2016 est de +0,3 %. Soit une performance moyenne annuelle théorique de +198 % sur la base des données depuis 2016. Par ailleurs, plus de 2/3 des variations journalières prennent effet entre -3,88 % et +4,5 %. Le tiers des variations sont donc de nature plus extrême. Pour comparaison, plus de 2/3 des variations s'établissent entre -1,19 % et +1,26 % pour l'or et entre -0,45 % et +1,75 % pour le Dow Jones.

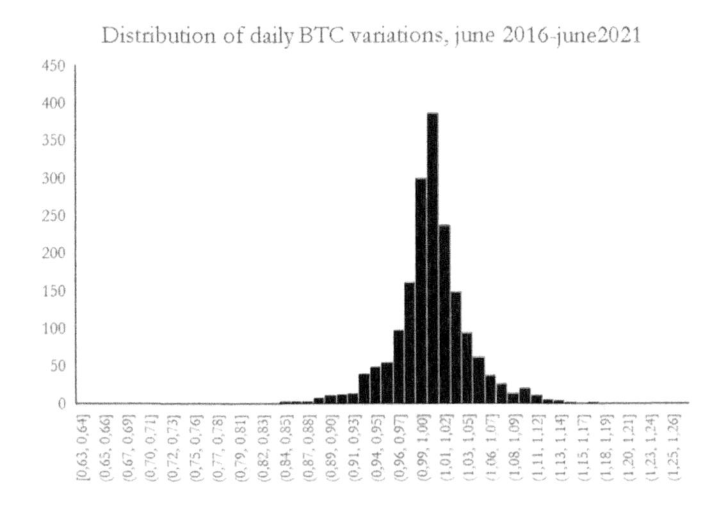

Figure 20 – Distribution des variations journalières du Bitcoin (en %), 2016-2021

Sans surprise, le Bitcoin reste très volatil, c'est-à-dire qu'une grande partie des variations prennent effet sur la base du graphique ci-dessus. Ainsi, plus de 30 % des variations journalières prennent effet en dessous de -3,9 % et au-dessus de +4,5 %.

Le graphique ci-dessous reprend l'indicateur cumulé de variations que nous avons développé[30]. Cet indicateur

[30] Voir andrieuthomas.com pour plus de détails.

fait la somme des variations des 45 derniers jours. Cet indicateur permet de rendre dynamiques les variations et de faire apparaître des cycles de marché. En effet, statistiquement, les cours ne peuvent pas suivre une ligne de tendance haussière éternelle. Quand l'indicateur atteint un sommet, c'est donc un retournement pour les prochaines semaines/mois dans notre cas.
L'indicateur a touché trois grands sommets depuis 2016 : décembre 2017, mai 2019 et février 2021. Ces signaux ont précédé à chaque fois de deux mois l'effondrement des cours du Bitcoin. Nous pourrions appliquer cet indicateur sur une plus longue période pour obtenir des signaux plus tôt. Cependant, l'historique récent de données ne suffit pas à dégager des signaux longs extrêmement fiables.
Ce qui paraît clair est que le Bitcoin suit des cycles de variations. Il semble que l'indicateur suit des logiques cycliques fondamentales ; trois phases haussières/trois phases baissières. Ce qui forme une répétition, à moyen et long terme, de trois cycles (dont un cycle principal à la fin avec un sommet majeur). La moyenne mobile à 45 jours (en pointillés) permet de mettre en évidence ces cycles. De plus, pour améliorer les signaux et leur puissance temporelle, la même méthodologie peut s'appliquer aux variations hebdomadaires, très intéressantes pour comprendre là encore le Bitcoin et ses mouvements.

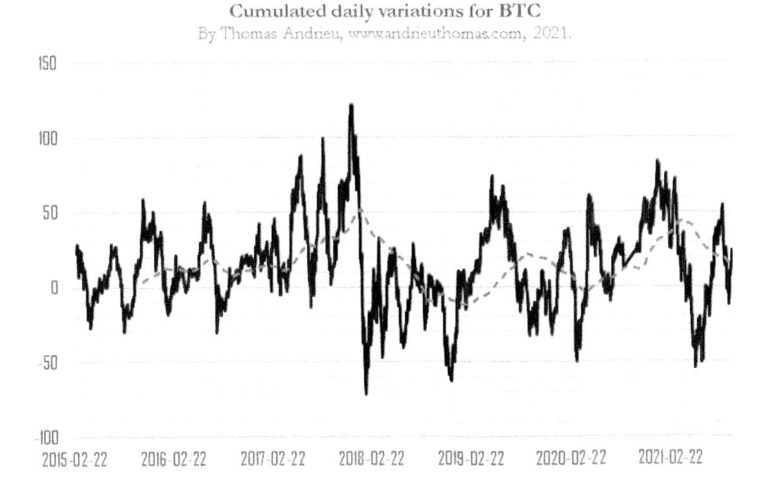

*Figure 21 – Indicateur de variations journalières cumulées du Bitcoin, **2015-2021***

Une autre manière de représenter les statistiques du Bitcoin est de mettre en évidence un attracteur de prix. Le graphique ci-dessous reprend en abscisse la variation au jour t et en ordonnée la variation au jour $t+1$. En clair, il reprend la variation d'un jour sur l'autre depuis 2016. Le Bitcoin suit une ligne d'attracteur quasi parfaite de proportionnalité.

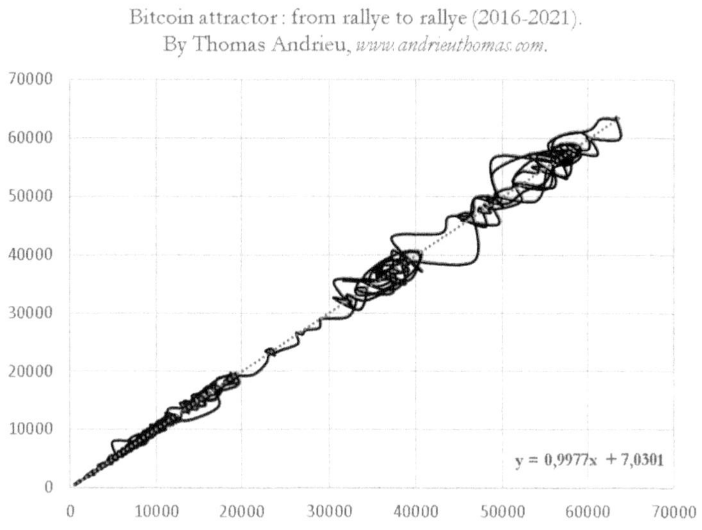

Figure 22 – Attracteur statistique du Bitcoin : visualiser les zones de concentration des prix du fait des rallyes successifs

Le Bitcoin possède un des attracteurs les plus fascinants du monde financier. On observe que les variations consécutives d'un jour sur l'autre sont à la fois très étendues en amplitude mais aussi très concentrées dans le temps. La variation moyenne consécutive d'un jour sur l'autre peut être définie par l'équation (x+7) sur le graphique. Cela signifie que la variation d'un jour sur l'autre suit une ligne de proportionnalité quasi parfaite.

Sur l'attracteur du Bitcoin, on remarque trois grandes zones de concentration ([60$; 20 000$], [30 000$; 40 000$], [50 000$; 60 000$]). Le Bitcoin semble réagir encore une fois par cycles intensifs et temporels, ce qui nous donne cette répartition relativement équilibrée. Avec la correction de mi-2021 par exemple, le Bitcoin est passé de la zone de concentration en haut à droite à celle du centre. Mi-2021, l'autre hypothèse consiste à dire que les variations journalières consécutives devraient se ré-

partir sur la ligne graphique de proportionnalité. Dans ce cas, le Bitcoin pourrait effectuer de multiples variations pendant plusieurs mois entre 20 000 $ et 30 000 $ ou bien entre 40 000 $ et 50 000 $.
Les variations en dollars du Bitcoin sont ainsi croissantes dans le temps long, car les variations en pourcentages sont statiquement orientées à la hausse. Le graphique ci-dessous montre une certaine configuration des variations suite à chaque rallye. Après une phase de succession de variations haussières croissantes, on assiste à un fort décrochage et une succession de variations baissières croissantes. La même figure s'est répétée en 2017, 2019 et 2021. Là encore, on insiste sur le fait que les variations extrêmes entraînent statistiquement les variations extrêmes. On assiste ainsi à la récurrence de cycles aux variations extrêmes.

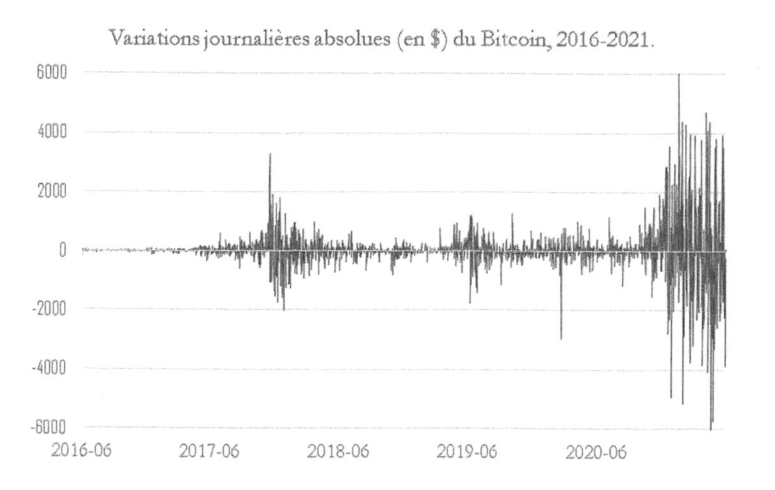

Figure 23 – Variations absolues du Bitcoin (en dollars), 2016-2021. Visualisation des grands cycles de variations extrêmes

Comme l'écrivait le très célèbre trader *Jesse Livermore*, « *les gros coups ne se réalisent pas sur des fluctuations individuelles, mais sur de grands mouve-*

ments en ayant une vision globale du marché et de sa tendance». Ainsi, les institutionnels avec plus de 1 000 BTC ont même renforcé leurs positions après le sommet de 2021. Cela conforte notre hypothèse selon laquelle la correction de 2021 sera suivie d'une phase de continuité du bull run. Une fois cette phase terminée, les institutionnels influenceront fortement les cours, ce qui contribuera à de nouvelles instabilités des variations et ainsi de suite. Les agents se répondent entre eux dans un marché à travers les cycles.

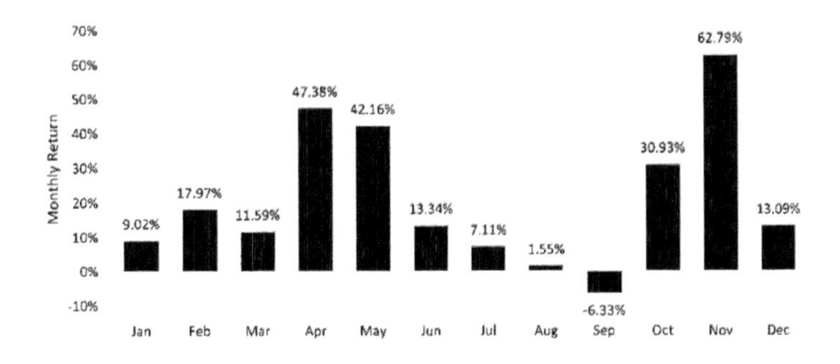

Figure 24 – Saisonnalité du Bitcoin…

Une autre approche plus simple et intéressante est la saisonnalité du Bitcoin. Le graphique ci-dessus reprend l'évolution moyenne du Bitcoin chaque mois de l'année entre 2010 et 2019. Les mois avec le plus de performances sont les mois d'avril, de mai, d'octobre et de novembre. Inversement, les mois les plus risqués sont les mois de janvier, d'août et de septembre (ainsi que moins nettement juillet). Sans grande surprise, la saisonnalité du Bitcoin rejoint celle du stress financier (ou VIX si l'on considère les actions du S&P500).
Au-delà des aspects statistiques et analytiques, il est intéressant de mettre en perspective les indicateurs de crise. La grande corrélation du Bitcoin est indéniable-

ment celle du stress financier. Le stress financier augmente très fortement lors de risques de crise ou de tensions sur les liquidités. Certains indicateurs macroéconomiques permettent avec une assez grande fiabilité d'anticiper la manifestation de nouvelles phases à risque. Cela permet, *in fine*, de déduire à court, moyen ou long terme, les mouvements du Bitcoin et du marché global des cryptomonnaies.
Fondamentalement, et avec le faible recul historique, il est difficile de dire si le Bitcoin aura une aussi bonne réponse au stress financier dans 5 ou 10 ans. L'évolution du marché des cryptomonnaies, et surtout sa possible reconsidération par les fonds d'investissement et de gestion, devrait amener de nouveaux indicateurs. Même si le marché évoluera considérablement dans les prochaines années, il est important d'anticiper au mieux les grands retournements qui peuvent opérer.

Indicateurs économiques cycliques

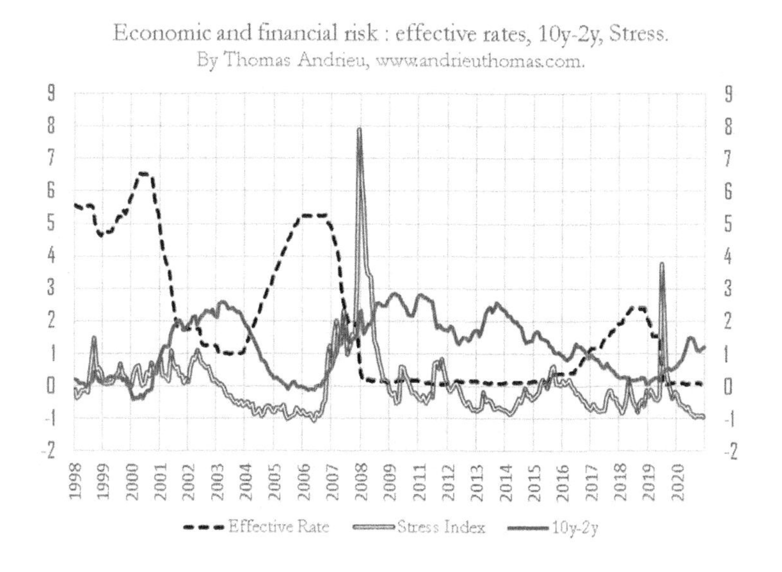

Figure 25 – Comparaison entre la volatilité, le taux directeur (pointillés), et l'écart entre les taux à 10 et 2 ans, échelles en pour cent

Le graphique ci-dessus reprend le stress financier (reconnaissable par ses sommets abrupts), avec le taux directeur de la FED (en noir, pointillés). Enfin, on a également ajouté au graphique le taux à 10 ans du gouvernement fédéral américain duquel est déduit le taux à 2 ans (« 10y minus 2y »). Ce dernier indicateur est particulièrement utile pour anticiper clairement les phases économiques à risque.
D'une part, avant de rentrer directement dans la clé de lecture du graphique, il est important de comprendre l'utilité de regarder aux taux. Premièrement, les taux directeurs. Les taux directeurs sont les taux pratiqués par les banques centrales auprès de l'ensemble du système financier. Les taux directeurs peuvent varier à la hausse ou à la baisse selon l'état de l'économie et avoir des conséquences plus ou moins néfastes.
Historiquement, la quasi-totalité des krachs boursiers sont précédés par un retournement des taux directeurs ou interbancaires. Là encore, il s'agit d'une explication économique simple. Les taux réels suivent la croissance économique (les profits espérés dans l'avenir déterminent les quantités de crédit demandées). Lorsque la croissance ralentit, les banques centrales abaissent les taux. Inversement, quand la croissance économique augmente, les taux tendent à augmenter. En cela, regarder au taux directeur des banques centrales (ici la FED) est particulièrement utile quand un point bas ou un point haut est atteint. De manière très fiable, la quasi-totalité des fortes hausses du stress financier sont précédées d'une stabilisation, puis d'une baisse des taux directeurs.
Un autre taux très utile et plus proche des marchés boursiers est le taux interbancaire. Le taux interbancaire est le taux de prêt à court terme entre institutionnels. Si les liquidités viennent à manquer, le taux va rapidement tendre à augmenter, ce qui provoque un stress de marché

à court ou moyen terme. Ce taux est appelé taux Repo pour Repurchase Agreement.
Deuxièmement, on se penchera sur le taux 10 ans ajusté du taux à 2 ans, ou « 10y minus 2y ». Le taux à 10 ans ou à 2 ans sont les taux d'intérêt auxquels le gouvernement fédéral emprunte pour une durée de 10 ans et 2 ans. Il s'agit donc des taux pratiqués sur des obligations d'État. Les gestionnaires accordent une importance considérable au marché obligataire.
En outre, le marché obligataire est le deuxième marché le plus valorisé, après l'immobilier. L'obligataire reflète directement la santé et les anticipations des gestionnaires et des investisseurs. En période de faible risque économique, les investisseurs ont confiance en l'avenir à long terme. Cela a pour conséquence de favoriser les obligations de long terme plutôt que les obligations de court terme. En définitive, cela conduit à une évolution des taux courts (défavorisés) supérieure à l'évolution des taux longs (favorisés). À l'inverse, quand la visibilité diminue et que le risque économique augmente, les institutionnels préfèrent miser sur le court terme où la visibilité est encore bonne. Le taux à 10 ans devient alors supérieur au taux à 2 ans, ce qui fait monter notre indicateur « 10y minus 2y ».
Écrit plus clairement, le risque économique augmente quand le *10y minus 2y* augmente. Inversement, les tensions économiques ou financières diminuent quand le *10y minus 2y* diminue. En conséquence, quand le 10 ans ajusté du 2 ans touche un point bas proche ou inférieur à 0, cela signifie qu'une phase de risques économiques va très certainement débuter. Cet indicateur différentiel entre le 10 ans et le 2 ans est extrêmement fiable. Depuis 1970, toutes les récessions ont été précédées par un point bas sur le 10y minus 2y. Par ailleurs, une crise se termine généralement quand la correction haussière du 10y minus 2y atteint un sommet.

En clair, tous ces indicateurs macroéconomiques fiables permettent d'anticiper les phases de risque économique. Nous l'avons vu, le Bitcoin résiste souvent mal à ces périodes de retour du stress, ce qui peut déclencher un retournement baissier des cryptomonnaies. De même, les longues périodes de détente du risque économique se caractérisent statistiquement par de fortes chances de rallye haussier sur le Bitcoin.

La structure cyclique, la sensibilité financière et l'indépendance fondamentale du Bitcoin montrent très clairement que le Bitcoin n'est pas un actif sans visibilité. Le Bitcoin suit un processus assez régulier dans sa phase d'expansion. D'abord sous-valorisé, le Bitcoin profite de son faible prix pour se démocratiser et voir son nombre d'utilisateurs augmenter. La hausse du nombre d'utilisateurs impulse en périodes de détente du risque économique un attrait des institutionnels. Cela provoque alors une première hausse continue des cours jusqu'à un niveau logarithme intermédiaire. Si le stress financier est encore légèrement élevé et que le dollar se revalorise ou entame une nouvelle phase de chute, une nouvelle phase de hausse s'engage. Une phase spéculative prend alors naissance, menant à une survalorisation du Bitcoin, surtout si l'indice dollar augmente en parallèle. L'arrivée d'une nouvelle vague de stress financier achève alors la phase haussière. Une correction s'engage alors d'abord en direction des niveaux intermédiaires. Celle-ci se poursuit si les institutionnels perdent confiance dans les cryptomonnaies et liquident temporairement leurs positions.

Mettre en lien ce processus avec certaines périodes cycliques et les principaux indicateurs macroéconomiques permet de dégager une visibilité temporelle relativement forte sur l'évolution des cours.

3. Vers l'avènement d'un marché mondial ?

« Monnaies » contre « cryptomonnaies » ?

Tout d'abord, nous tenterons ici de différencier cryptomonnaies et monnaie avant de nous pencher sur les aspects de bulle ou d'innovation. Le débat fait souvent rage chez les investisseurs : les cryptomonnaies sont-elles des « monnaies » ? Au XXIe siècle, de nombreux concepts se retrouvent bouleversés par la forte mobilité, la forte mondialisation et le fort développement technologique. Cela nous amène à reconsidérer la question monétaire pour mieux saisir la place des cryptomonnaies dans l'histoire monétaire.

Nous pouvons d'abord nous focaliser sur une brève histoire monétaire, peu rigoureuse mais suffisamment simplifiée. La première convention économique est le travail, avant tout celui de l'agriculture. Ce travail donne lieu à une concentration de richesses et surplus, qui peuvent s'échanger. C'est la naissance de la dette, avant même la naissance de la monnaie. Les premiers paiements se faisaient de manière plus ordonnée qu'on le pense, souvent avec des grains, des animaux, etc. Au cours des millénaires et du développement du commerce, des monnaies d'or et d'argent (non standardisées) acceptées des commerçants méditerranéens se sont répandues. La standardisation de ces métaux apparaît plus nettement sous Crésus (-596/-546). Cette standardisation connaît un succès grandissant car la monnaie sert dès lors d'arme politique. C'est le pouvoir économique suprême.

À l'époque, échanger avec des pièces n'était pas évident dans les mœurs. L'habitude d'échanger avec des biens concrets (vaches, grains, etc.) était encore forte et les premières pièces n'étaient probablement pas reconnues comme monnaies au sens contemporain. Rapidement, d'ailleurs, la dégradation monétaire fait son apparition.

C'est le processus qui consiste à augmenter la quantité de monnaie en circulation en rajoutant souvent des métaux d'une valeur inférieure. Civilisation après civilisation, la dégradation monétaire touche les territoires comme une épidémie. Une des dégradations antiques les plus importantes a été celle de l'Empire romain peu de temps après son apogée (160-180 de notre ère). Comme dans de nombreux exemples avant et après l'Empire romain, la dégradation monétaire abusive provoque l'apparition de monnaies clandestines (« privées »). Ces monnaies clandestines permettaient d'assurer un minimum de confiance au niveau local, ce que l'État ne permettait plus d'assurer.

Au XIe siècle, alors que l'économie européenne se remet doucement de près de 8 siècles de déclin, le besoin de commerce implique le développement des banques, et de la monnaie. Les premiers « billets » apparaissent d'abord en Chine, puis en Europe.

Après le développement des monnaies, principalement royales, le XIXe siècle marque une avancée considérable. À partir du milieu du XIXe siècle, la chute de la valeur de l'or et de l'argent, et le besoin grandissant de quantités plus importantes permettent l'avènement de l'étalon-or. Les monnaies sont liées à une quantité fixe d'or ou d'argent. Cela conduit tout droit à une très forte dégradation monétaire après la Première Guerre mondiale avec des extrêmes comme l'Hyperinflation de Weimar. Ce sont des dérives monétaires que l'on retrouve par dizaines et dizaines depuis les toutes premières monnaies. Le fait est que l'État a toujours assuré de manière très partielle et superficielle la stabilité monétaire. L'État est le premier géniteur de la monnaie, il est aussi son premier meurtrier. Il arrive forcément un moment où le maintien de la stabilité à court terme passe par la dégradation monétaire, ce qui aggrave l'instabilité structurelle de long terme.

Après la Seconde Guerre mondiale, l'étalon-or fait indirectement son retour. Mais en 1971, les quantités d'or ne pouvant être assurées à un prix de 35 $ l'once, l'étalon-or est brisé : les devises du monde entier reposent littéralement sur « rien ». C'est le système flottant. La monnaie ne repose sur rien !
Dès lors, il est impératif de redéfinir le concept monétaire. Plus que cela, on peut en arriver à se demander si une monnaie a besoin d'un État pour exister. Une monnaie n'a plus forcément besoin d'État pour exister ; mais une devise aura toujours besoin d'un État (dollar, euro, etc.). Une monnaie est d'abord une institution économique, une devise est d'abord une institution politique. Une institution économique n'a pas forcément besoin d'État pour exister, juste d'agents en mesure d'accepter ce moyen de paiement ou d'épargne. La seule qualité d'une monnaie doit être sa capacité à être encadrée par des lois, furent-elles dictées par un pouvoir centralisé et autoritaire ou un ensemble de lois concurrentes qui seraient en confrontation. Le XXIe siècle permet à cette loi d'exister sans la présence d'État : c'est le principe de la Blockchain.
Ce qui fait la valeur d'une monnaie est la confiance que les agents lui accordent. Cette confiance a historiquement été établie par décret de l'État. Cependant, nous l'avons vu, les commerçants utilisaient il y a des millénaires de cela des formes de « monnaies » non établies par l'État. L'État joue un rôle profondément secondaire dans la réussite d'une monnaie. Comme nous le démontrerons hardiment en annexe, il y a dans l'Histoire des périodes naturellement orientées vers une *préférence monétaire pour la diversité*. Ce rôle secondaire de l'État envers la monnaie est encore réduit au XXIe siècle par la puissance totale de la loi du marché.

D'un point de vue théorique, l'absence d'État pour les cryptomonnaies est en réalité le cœur du caractère innovateur. C'est à la fois un immense avantage (pas de limitation nationale, pas de lois centralisées, pas de frontière, etc.), mais parfois un inconvénient (difficulté à établir la confiance, etc.). Par ailleurs, les cryptomonnaies, tout comme les devises étatiques, ne reposent sur rien (ex nihilo). Ce principe met ces deux formes de monnaies en concurrence, sur la même et unique base qu'il nous est donné d'avoir.

De plus, nous rappellerons que le XXIe siècle a changé plus de perspectives dans l'histoire monétaire que ces trois derniers siècles. Tout d'abord, le XXIe siècle permet une mobilité extrême des individus qui peuvent (presque) librement choisir l'État dans lequel ils souhaitent vivre. Les États perdent naturellement de leur souveraineté et sont en concurrence entre eux. Ce qui est un processus sain qui oblige les États à optimiser leur attractivité et le bien-être de leur population. La concurrence fiscale des États est un processus profondément sain, et protège ainsi les nations des dirigeants idéologues, aux penchants centralisateurs et aux ambitions fiscales démesurées. Pourquoi payer deux fois plus d'impôts en France avec des services publics deux fois plus mauvais, alors que la Suisse, l'Andorre, le Luxembourg nous offrent un rapport qualité/prix bien meilleur ? La plupart des grands financiers ont une limite fiscale et juridique à leur nationalité.

Le fait que les individus soient aujourd'hui en capacité de choisir librement leur État implique une demande des individus afin de choisir librement leur monnaie. C'est en cela que le concept de monnaie d'État (de devise) est dépassé au XXIe siècle. Les cryptomonnaies permettent de répondre à une demande mondiale de mobilité des capitaux, des individus, des marchandises. Il en résulte une mobilité supplémentaire qui n'aurait jamais été permise par les États. Par ailleurs, la confiance des agents envers les monnaies traditionnelles est en chute constante depuis au moins deux décennies. Une des principales raisons est la dégradation monétaire abusive pratiquée par les Banques centrales afin d'assurer la « survie » budgétaire des États. La création monétaire est un des plus puissants pouvoirs qui se fait au détriment des agents, ce qui explique l'indépendance (théorique) de nombreuses Banques centrales.

Mais alors, quelle définition donner aux cryptomonnaies ? Les cryptomonnaies sont un peu à mi-chemin entre monnaies traditionnelles et monnaies clandestines. D'un point de vue purement factuel, les cryptomonnaies ne se sont pas suffisamment répandues pour les reconnaître comme monnaies courantes, ce qui explique aussi leur forte volatilité. Ce sont les principales limites à la considération des cryptomonnaies comme « monnaies ». Le Bitcoin, par exemple, n'est capitalisé que 650 Mds $ mi-2021, ce qui est largement inférieur à la quantité en circulation de monnaies traditionnelles.

Cependant, les cryptomonnaies permettent l'avènement du libre marché monétaire, ce qui est une dérive de la mondialisation, de la hausse de la mobilité et du développement technologique. Les monnaies traditionnelles ne répondent pas à ces caractéristiques spécifiques au XXIe siècle. C'est aussi une réaction historique classique à la dégradation monétaire en faisant un parallèle avec les monnaies clandestines.

Aujourd'hui, les agents peuvent presque librement choisir la monnaie qu'ils souhaitent utiliser, l'État dans lequel ils souhaitent vivre, la réglementation dans laquelle ils peuvent au mieux échanger. Ce qui est une rupture profonde avec l'État Providence et l'État autoritaire des derniers siècles. Les cryptomonnaies apparaissent dès lors comme une évolution libérale.

Le FMI a même qualifié en août 2020 les cryptomonnaies comme pouvant être « *une nouvelle étape dans l'évolution de la monnaie* ». Écrit autrement, les cryptomonnaies n'entrent pas dans la définition d'une monnaie d'État traditionnelle. Les cryptomonnaies répondent à une demande bien particulière de mobilité, de concurrence étatique, d'internationalisation et de besoin de décentralisation. Ce que ne permettent pas les monnaies traditionnelles. Les cryptomonnaies sont donc des monnaies dans le sens où elles permettent les paiements et l'épargne, avec pour seule loi d'établissement : la blockchain. Autrement dit, ce sont les monnaies caractéristiques du XXIe siècle. Une forme de monnaie très particulière qui ne dépend pas d'un territoire en particulier, ni d'une institution particulière. Cependant, leur volatilité, leur démocratisation encore limitée, voire leur caractère limité, sont autant de facteurs limitant leur caractère monétaire.
Pour finir, dans un article pour CoinTribune[31], j'ai par exemple montré les gains et risques estimables pour le Salvador, premier pays au monde à reconnaître une cryptomonnaie comme monnaie nationale. Bien que le Salvador soit un cas économique très particulier, la conclusion paraît claire et évidente : de trop grandes fluctuations de la monnaie, à la hausse comme à la baisse, conduiraient à des risques d'effondrement économique sensiblement élevés. Le seul réel et conséquent désavantage des cryptomonnaies, c'est leur volatilité. Même une hausse du Bitcoin, dans le cas d'une forte démocratisation de la cryptomonnaie au Salvador, conduirait à un risque de récession élevé dans le pays. En cela, le gain d'adoption du Bitcoin comme monnaie est quasi nul pour l'heure dans les pays développés. Néanmoins,

---

[31] « Salvador : quels effets économiques attendre de l'adoption du Bitcoin (BTC) ? » - CoinTribune

le rapport bénéfice/risque à l'adoption du Bitcoin devient suffisamment intéressant dans les pays plus pauvres. À partir de là, on ne verra d'autre réelle conclusion que celle d'écrire qu'il serait important d'établir un système monétaire de transition.
Un système de transition plus digitalisé, plus décentralisé et plus libre que le système traditionnel ; mais moins volatil et plus stable que l'état actuel des cryptomonnaies. Si une transition de système doit se faire, elle se fera par les pays en voie de développement, pour qui le gain d'adoption est supérieur aux pays développés, et pour qui la contrainte d'adoption (manque de digitalisation, instabilité des flux, etc.) est inférieure aux pays très pauvres.

Structure du marché

Une fois le postulat monétaire posé, nous pouvons plus réellement distinguer ce qui relève de la spéculation ou de l'innovation. Indéniablement, les cryptomonnaies sont une innovation libérale. Cette innovation se concentre essentiellement dans le domaine des transactions et de la fluidité mondiale des capitaux et des produits. Il y a deux types d'activités économiques créées par les cryptomonnaies :

– Une activité indirecte : la hausse des échanges et la fluidité des capitaux permettent d'augmenter le potentiel de croissance économique. La Blockchain est comme la voiture au XXe siècle qui a fait suite au système d'échange centralisé qu'était le train du XIXe siècle.

– Une activité économique directe : l'émergence de nombreuses entreprises proposant des services liés aux cryptomonnaies. De nombreuses activités sont générées par les cryptomonnaies : les plateformes d'investissement en cryptomonnaies, la finance décentralisée, les

services de paiement, etc. Il s'agit d'une création de richesse directe.
Les cryptomonnaies permettent une augmentation de la productivité, directe et indirecte. Cette plus forte productivité permet de justifier une concentration légitime des capitaux sur le marché. Le caractère d'innovation donne aux cryptomonnaies une véritable légitimité économique. L'innovation permet de générer certaines capitalisations financières largement justifiées. Cependant, toutes les richesses créées à ce jour par l'industrie crypto n'expliquent pas toute cette capitalisation. Près de 1,3 % de la population mondiale utilisait les cryptomonnaies au premier trimestre 2020, pour une capitalisation de plus de 1,1 % du PIB mondial. Ce qui est supérieur à la capitalisation réellement utile.
Ainsi, nous devons garder à l'esprit que le caractère spéculatif des cryptomonnaies est à l'origine d'une partie conséquente de la capitalisation. C'est en particulier pertinent quand on voit que des cryptomonnaies spéculatives comme le Dogecoin sont plus capitalisées que des banques internationales comme Société Générale. En réalité, même la plus grande capitalisation bancaire du monde, JP Morgan Chase & Co, avec près de 500 milliards de dollars mi-2021, est moins valorisée que l'Ethereum. Comment expliquer de tels écarts, un tel excès ?
Là encore, comparer ces actifs sur des bases fondamentales est inutile. Néanmoins, il paraît clair que les actions de JP Morgan ne servent pas de moyen d'épargne, contrairement à certaines cryptomonnaies ; et parallèlement, on comprend aussi que les cryptomonnaies ne distribuent pas des dividendes à proprement parler. Ainsi, on souligne à la fois ici le caractère spéculatif indéniable des cryptomonnaies, mais également un certain décalage avec un modèle ancien. La seule rationalité fondamentale, comme

nous l'avons vu, repose sur l'état émotionnel du marché et donc sur les liquidités disponibles.
En conséquence, le caractère spéculatif des cryptomonnaies est encouragé par (1) la crise de confiance mondiale envers les institutions et les monnaies centrales, et (2) le besoin de sécurité, de rapidité et de globalisation. La concentration extrême et ultra-rapide de capitaux dans ce secteur induit inévitablement des capacités de développement amplifiées à long terme. Ce qui permet par ailleurs la naissance d'un marché. Néanmoins, la constitution d'un marché est souvent lente (comme avec Internet). Quand les anticipations sont largement supérieures aux capacités d'innovation, comme ce fut le cas en 2000, il y a formation d'une bulle à moyen terme.
Il est assez difficile de déterminer quand les cryptomonnaies sont en zone ultra-spéculative ou non spéculative. Néanmoins, nous l'avons vu précédemment, certains canaux de prix peuvent assez clairement nous aider dans le passage de niveaux fondamentalement exubérants. Pour donner une idée, la capitalisation des cryptomonnaies en avril 2021 est estimée à presque 2 250 milliards de dollars. Ce qui représente 2,7 % du PIB mondial de 2020. Avec ces proportions, aucun gestionnaire ne peut ignorer le marché des cryptomonnaies. Il s'agit désormais d'un marché mondialement reconnu.
Plus que cela, on insistera ici sur la financiarisation extrême des cryptomonnaies. L'importante taille du marché a rapidement mené à l'émergence de produits dérivés que l'on retrouve sur les marchés classiques. Ainsi, la naissance d'un marché futur (CME) et l'approbation récente d'un ETF par l'autorité de régulation américaine (SEC) confortent un peu plus notre observation selon laquelle le succès des cryptomonnaies sera intimement lié à la destinée des institutionnels dominants.

Mais ce marché est en transformation structurelle depuis plusieurs années. Les nouvelles qui sont apparues en 2020 avec le positionnement de la plupart des grands institutionnels ont changé considérablement les perspectives de développement. Pour tenter d'estimer l'évolution du marché, trois paramètres sont à prendre en considération :

– La part de la population qui utilise les cryptomonnaies. Cette proportion est d'environ 1,3 % au premier semestre 2020. Les cryptomonnaies sont déjà bien implantées dans la population mondiale. Si le taux de croissance de nouveaux utilisateurs reste identique aux 3 dernières années, cette proportion d'utilisateurs mondiaux pourrait être multipliée par 10 à 12 d'ici 2030. Scénario très favorable. Ce qui représenterait environ 15 % de la population mondiale. Soit autant que les populations d'Amérique du Nord et d'Europe réunies. C'est une proportion tout à fait réaliste à terme au regard d'une démocratisation ultra-massive, déjà atteinte dans certains pays comme la Corée du Sud.

– En outre, on notera que la plus grande diffusion des cryptomonnaies en 2020[32] est atteinte au Nigéria, où près de 42 % de la population utiliserait les cryptomonnaies ; suivi de la Thaïlande (31 %) et des Philippines (28 %). Ensuite, on trouve des pays plus développés, soit très stables ou bien très instables, comme l'Argentine avec une démocratisation des cryptomonnaies qui toucherait 21 % de la population, suivie de la Suisse (13 %). Les pays développés sont quant à eux dans une fourchette de démocratisation plus faible : 8 % pour les États-Unis, 7 % pour la Chine, 5 % pour la France[33] et le

---

[32] D'après Statista Consumer Survey, 2020.

[33] De plus, d'après une étude de Capterra d'octobre 2021, près de 65 % des Français connaîtraient le concept de cryptomonnaie, tandis que près de 80 % des Français suivraient au moins une actualité par

Royaume-Uni, ou encore 4 % pour le Japon. Qu'apparaît-il ? Que les pays où les cryptomonnaies sont très diffusées sont principalement des pays émergents, puis des pays instables, et enfin des pays développés. Un ensemble de pays « moyens » n'ont pas d'attirance particulière pour les cryptomonnaies. Le fait est que les cryptomonnaies se diffusent au sein de populations dont le niveau de vie est un extrême de ce que nous pouvons observer en moyenne. Comme nous l'expliquerons en annexe, *le degré de préférence pour la diversité monétaire* est plus ou moins fort selon le niveau de développement et de stabilité. Le schéma de diffusion des cryptomonnaies sera donc probablement celui des pays émergents qui s'imposeront sur la scène internationale à partir du deuxième tiers de ce siècle.

– L'intensité d'utilisation des cryptomonnaies. Les cryptomonnaies ont une fonction d'épargne, et d'échange. Ce qui n'est pas le cas de l'or, avec la seule fonction d'épargne, par exemple. L'intensité d'utilisation des cryptomonnaies dépendra de la réaction des gouvernements face à cette démocratisation. Dans les faits, il n'existe aucune barrière à ce que des économies digitalisées et libres utilisent les cryptomonnaies.

Le succès à venir du marché dépendra également de son positionnement international. Considérons le développement d'un marché et une démocratisation continue des cryptomonnaies. Si l'on se met à rêver, à terme, si le Bitcoin prenait la même ampleur de réserve que l'euro, cela pourrait générer une demande de 10 000 à 12 000 milliards. Ce qui est considérable, mais encore très peu réaliste actuellement. Cette demande supplémentaire serait probablement réaliste dans le cas d'une

mois sur la question. Toujours d'après cette étude, 51 % des Français se diraient prêts à investir dans la cryptomonnaie.

diffusion envers au moins 10 % à 15 % de la population mondiale (contre 1,3 % tout début 2020).
Enfin, il sera important d'insister sur la structure du marché des cryptomonnaies. Nous avons ici beaucoup traité du Bitcoin. À raison, celui-ci représente, en avril 2021, 53 % de la capitalisation totale du marché des cryptomonnaies. De son côté, l'Ethereum, deuxième cryptomonnaie mondiale, pèse près de 13 % de la capitalisation totale du marché. Il est très intéressant de noter que la hausse de la capitalisation globale tend à se traduire par une réduction du poids des grandes crypto-monnaies dans le marché total.
Le marché des cryptomonnaies est globalement très fragmenté. Une minorité de cryptomonnaies concentre la quasi-totalité de la capitalisation. Statistiquement, les 5 premières cryptomonnaies concentrent au printemps 2021 plus de 75 % de la capitalisation totale du marché. De même, les 10 premières cryptomonnaies concentrent 81 % de la capitalisation et ainsi de suite. À noter que les 10 premières cryptomonnaies ne représentent que 0,11 % de l'ensemble des 9 250 cryptomonnaies existantes début 2021 !
Le graphique ci-dessous reprend la part des 17 premières cryptomonnaies dans la capitalisation totale en avril 2021. Ce graphique illustre parfaitement la rupture forte qui subsiste dans la répartition de la capitalisation.

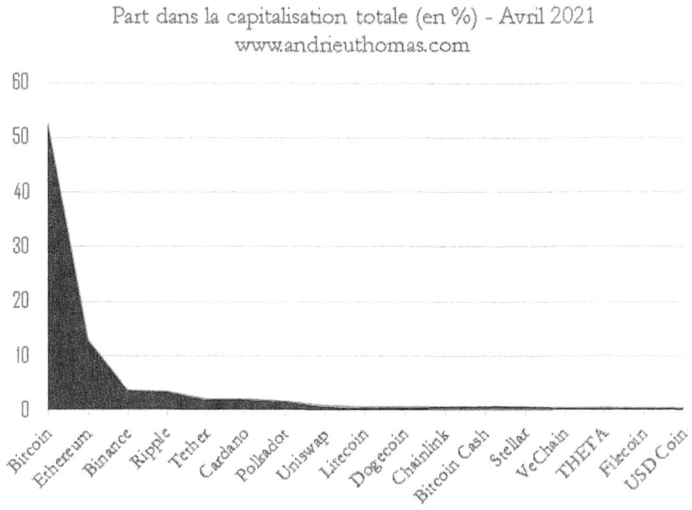

Figure 26 – Part de marché des principales cryptomonnaies dans la capitalisation totale, 2021. Source : coinmarketcap

À partir de ces statistiques, nous pouvons distinguer de grands groupes de cryptomonnaies selon des critères évidemment variables. On peut ainsi diviser les cryptomonnaies en 5 grandes catégories :

– Les « ***huge caps*** ». Il s'agit principalement ici du Bitcoin et de l'Ethereum. Ces deux premières cryptomonnaies pèsent près des 2/3 de la capitalisation totale. On dira plus globalement que ce sont les cryptomonnaies qui dépassent 5 % de la capitalisation totale.

– Les « ***big caps*** ». On dira qu'il s'agit des cryptomonnaies dont la part dans la capitalisation totale se situe entre 1 % et 5 % de la capitalisation totale. Cela concerne 5 cryptomonnaies en avril 2020 (de Binance à Polkadot).

– Les « ***mid caps*** ». Il s'agit ici principalement des cryptomonnaies qui représentent environ 0,5 % à 1 % de la capitalisation totale. Cela concerne 10 cryptomonnaies en avril 2021.

– Les ***« little caps »***. Les little caps sont les petites capitalisations. On entend par là les cryptomonnaies qui représentent entre 0,05 % et 0,5 % de la capitalisation totale. C'est-à-dire les cryptomonnaies entre 1,1 Mds $ et 10 Mds $. Il s'agit principalement des cryptomonnaies du top 100.

– Les ***« micro caps »***. Il s'agit des milliers de cryptomonnaies sous une capitalisation de 1 Mds $ au printemps 2021, soit 0,05 % environ de la capitalisation totale. Ces petites cryptomonnaies sont très concurrentielles, et souvent beaucoup plus risquées.

Dans un article pour cafedelabourse.com en février 2021, on pouvait notamment revenir sur la répartition des cryptomonnaies dans le marché total. Cela permet de faciliter les stratégies de positionnement sur le marché :

Dans sa gestion du risque sur le marché des cryptomonnaies, il est idéal de se rapprocher de près ou de loin des répartitions de marché. Par ailleurs, les huge et big caps subissent un effet d'éviction en leur défaveur avec l'expansion du marché global. Il peut donc être extrêmement intéressant de se positionner sur des petites et moyennes capitalisations, dont les projets sont en pleine croissance à ce jour. Ce sont globalement les cryptomonnaies qui bénéficient le plus de l'expansion du marché, car elles sont au cœur du processus de démocratisation.

Plus logiquement, considérons le cas suivant : une cryptomonnaie classée à la 100e position devra voir son cours augmenter plus rapidement entre la 99e et la 98e position qu'entre la 100e et la 99e position. Cela signifie que la plus forte croissance est atteinte quand la cryptomonnaie est à un stade moyen. Acheter des milliers de micro-capitalisations est souvent long et perdant, tandis que l'achat de cryptomonnaies en voie de surperformance constante diminue les risques associés à des gains plus grands. L'exemple des cryptos comme Dogecoin ou Shiba est révélateur de la pertinence de cette stratégie ; en considérant le raisonnement qu'on ne peut être le premier à bénéficier de la hausse, mais qu'on ne sera certainement pas le dernier à en profiter. Mais nous rappellerons une fois de plus le caractère spéculatif et peu durable de ces stratégies.

Concernant les plus grandes cryptomonnaies, prenons un exemple pratique[34] entre le Bitcoin (BTC) et l'Ethereum (ETH). D'une part, à partir des données de variation hebdomadaires depuis janvier 2017, l'Ethereum se rapproche d'une volatilité annualisée de 106,9 %. Dans le même temps, la volatilité annualisée du Bitcoin à partir des données hebdomadaires se rapproche de 71 %. Cela signifie dans l'absolu que l'Ethereum est environ 50 % plus volatile que le Bitcoin. D'autre part, la performance moyenne de l'Ethereum est de +3,5 % par semaine depuis 2017. De son côté, la performance hebdomadaire pour le Bitcoin est de +2,1 % par semaine. Cela signifie que l'Ethereum est environ 66 % plus performant que le Bitcoin. La surperformance de l'Ethereum sur le Bitcoin n'est pas une observation récente et demeure aussi bien remarquable sur des échelles de temps plutôt courtes que sur des échelles de temps plutôt longues.

---

[34] À partir de mon étude comparative disponible sur CoinTribune : « Bitcoin (BTC) vs Ethereum (ETH) : lequel privilégier ? »

On peut ainsi mesurer à partir des données précédentes le ratio « risk/reward », c'est-à-dire ici les gains observés en fonction du risque pris[35]. En effet, la volatilité permet de mesurer le degré du risque de perte sur un marché, tandis que les performances moyennes nous renseignent sur les gains espérés. Plus le ratio est faible, plus l'investissement est intéressant par rapport à un ratio plus élevé sur un actif similaire. On a donc, à partir de nos précédentes données de risque et de performance...

Pour l'Ethereum : 106,9 / 3,5 = 30,11

Pour le Bitcoin : 71 / 2,1 = 33,8

Pour l'écrire directement, l'Ethereum est très exactement 12,25 % plus attractif que le Bitcoin (33,8/30,11), en prenant en compte les gains espérés et le risque encouru. Cette approche confirme non seulement (1) la surperformance de l'Ethereum sur le Bitcoin à long terme, mais également (2) le fait qu'il est plus important de détenir de l'Ethereum que du Bitcoin. En bon gestionnaire, il est donc important de surpondérer l'Ethereum dans son portefeuille de cryptomonnaies.

Nous pouvons également appliquer la même logique pour comparer les marchés entre eux. Prenons l'exemple de 4 actifs : les actions (Dow Jones), le dollar (indice dollar), l'or et le Bitcoin. Après avoir sélectionné les données hebdomadaires de ces quatre actifs sur la période 2016-2021, on mesure leur volatilité que l'on divise par leur performance respective. Ainsi, on obtient les ratios (volatilité/performance) associés à chaque classe d'actif : 9,3 pour les actions, 19 pour le dollar, 12,9 pour l'or et 5 pour le Bitcoin[36].

---

[35] Le « vrai » ratio risk/reward correspond en finance à : risk/reward = (valeur d'entrée-valeur minimale du cours en cas de perte)/(valeur d'entrée-valeur maximale du cours en cas de gain).
Néanmoins, comme la valeur espérée de perte ou de gain dépend de la volatilité, on retranscrit ici un risque/reward structurel.

[36] À partir de « Étude du risk/reward de 4 actifs », article youtrading.fr, octobre 2021, par Thomas Andrieu.

Cela signifie que d'un point de vue purement analytique, le Bitcoin est le plus attractif de tous les actifs. Il est suivi par les actions, l'or, et enfin le dollar. En effet, le ratio entre la volatilité et les performances est le plus faible sur le marché des cryptomonnaies, ce qui traduit le fait que les risques relatifs liés aux performances sont minimes. Néanmoins, la mesure des risques et performances du Bitcoin est peu signifiante avec de très grandes volatilités et un plus faible recul historique. Cette étude montre cependant la présence d'une attractivité structurelle du marché des cryptomonnaies ces dernières années. Ces ratios montrent que la plupart des investisseurs ont parié une très faible partie de leur portefeuille global, mais dans l'espoir d'un gain important, ce qui est plutôt de nature rationnelle.
Plus globalement, on peut appliquer cette méthodologie d'analyse pour comparer presque toutes les cryptomonnaies. Les cryptomonnaies faiblement capitalisées et très concurrentielles peuvent être parfois très intéressantes. Cependant, la forte hausse de ces crypto-monnaies repose plus sur des chances spéculatives que fondamentales, en particulier pour les très petites cryptomonnaies (disons moins de 100 millions d'euros de capitalisation). Le succès d'une cryptomonnaie dépend de sa position sur le marché (pionnier ou retardataire), de sa visibilité (cryptomonnaie populaire et plus encline à être liquide ou non, exemples d'Elrond ou Dogecoin) et enfin de son utilité (cette cryptomonnaie présente-t-elle une innovation unique comme la finance décentralisée, etc. ?).
En clair, Bitcoin est très loin d'être la seule cryptomonnaie. Évidemment, la tendance sur Bitcoin va se rapprocher de l'état global du marché des cryptomonnaies. C'est en cela que l'analyse des tendances sur Bitcoin est révélatrice de mouvements généraux. Néanmoins, le marché devient de plus en plus atomisé (diversifié). La croissance du marché s'accompagne d'une éviction en fa-

veur des petites et moyennes capitalisations. Il est donc intéressant de se positionner de manière globale sur le marché tout en identifiant certains projets spécifiques.
Ainsi, l'avenir du marché des cryptomonnaies à long terme est à contextualiser à travers différents facteurs :

– L'évolution du contexte monétaire et financier à travers les liquidités, les taux, la volatilité, les cycles de marché, etc. Le contexte fondamental détermine les conditions d'existence du marché des cryptomonnaies.

– L'évolution des régulations gouvernementales. Alors que certains pays comme le Salvador reconnaissent le Bitcoin comme monnaie légale, d'autres pays cherchent à accélérer la régulation pour éviter la perte de souveraineté monétaire.

– La continuité (ou non) de la démocratisation des cryptomonnaies au niveau des institutionnels et des particuliers. Les institutionnels déterminent les évolutions longues quand les particuliers contribuent à la formation de tendance plutôt courtes.

Stablecoins : le socle de marbre de l'industrie des cryptomonnaies

Récemment, nous assistons à la forte émergence des stablecoins. Ce sont les cryptomonnaies qui inquiètent probablement le plus les autorités quant à leur souveraineté, car ce sont les cryptomonnaies qui offrent des avantages supérieurs à ceux des monnaies traditionnelles. Les stablecoins se distinguent des autres cryptomonnaies par leur stabilité et leurs avantages multiples. Mi-2021, les stablecoins représentent près de 10 % de la capitalisation de l'ensemble des cryptomonnaies, ce qui est loin d'être négligeable, d'autant que ce chiffre est en constante augmentation.
Les stablecoins sont une catégorie de cryptomonnaies dont l'objectif est de reproduire la variation d'autres ac-

tifs financiers (devises, métaux précieux, etc.). Il s'agit d'une cryptomonnaie (« coin ») « stable ». Basés sur la Blockchain, les stablecoins permettent de bénéficier des avantages de la cryptomonnaie (numérique, rapidité, décentralisation) et des actifs traditionnels moins volatils (dollar, or, etc.). Les stablecoins permettent de concilier monnaies traditionnelles et monnaies virtuelles. Néanmoins, la répartition de la capitalisation des stablecoins est également très concentrée.
Ainsi, un stablecoin indexé à 100 % sur le dollar (1 pour 1) va garantir un pouvoir d'achat entièrement stable en dollars. Le stablecoin le plus utilisé à ce jour, Tether, a été lancé en 2014 par la compagnie *Tether Limited* basée à Hong Kong. Les stablecoins sont un peu les billets du XVIIIe siècle et suscitent un grand intérêt auprès des banques centrales. Forme abstraite de monnaie, les stablecoins sont une sorte d'adaptation technologique de la monnaie. La quasi-totalité des grandes banques centrales du monde ont annoncé le lancement de projets de monnaies numériques de banques centrales basées sur la logique des stablecoins privés. Il existe trois grandes catégories de cryptostables :

– Les stablecoins basés sur les devises comme le dollar ou l'euro (Tether, USDC...).

– Les stablecoins basés sur les matières premières (Tether Gold, PAX Gold...).

– Les stablecoins basés sur d'autres cryptomonnaies (Dai...).

Les monnaies virtuelles sont parmi les actifs les plus spéculatifs. Dans des cas extrêmes, les variations sur Bitcoin peuvent rapidement atteindre plusieurs dizaines de pour cent en une seule journée. L'instabilité des grandes cryptomonnaies demeure une faiblesse, car le marché est très sensible à l'état global du système financier.

L'intérêt des stablecoins est de se baser sur la Blockchain et sur un actif traditionnel pour assurer une très faible volatilité. L'intérêt des stablecoins est donc double :

– Assurer de la liquidité et une faible volatilité en portefeuille.

– Avoir une flexibilité dans l'utilisation (rapidité de transaction, sécurité, etc.).

Les stablecoins sont particulièrement utiles en fonction du contexte global du marché. Effectivement, les stablecoins sont très utiles pour optimiser les périodes de correction sur les autres monnaies virtuelles. Jouer sur l'exposition aux stablecoins permet ainsi d'optimiser les performances de son portefeuille. En outre, s'exposer aux stablecoins permet de bénéficier des avantages de la Blockchain tout en étant exposé aux marchés des devises (dollar, euro) et des métaux précieux, par exemple. C'est un moyen implicite de diversifier ses cryptoactifs et de spéculer sur les mouvements d'actifs externes au marché des cryptomonnaies (taux de change, matières premières, etc.).

Les stablecoins présentent divers avantages. Premièrement, la faible volatilité permet de compenser les mouvements sur les autres monnaies virtuelles. Ensuite, le caractère numérique et décentralisé à partir de la Blockchain permet aux stablecoins de bénéficier d'une grande mobilité et facilité d'échange. Par exemple, le transfert de stablecoins est plus rapide et généralement plus transparent que le système bancaire traditionnel SWIFT.

D'autre part, les stablecoins permettent de conserver ses gains. La réalisation de plus-values peut être sécurisée par une conversion en stablecoins. En ce sens, les stablecoins jouent un rôle d'éviction sur le marché des cryptomonnaies et permettent de substituer le cash traditionnel en portefeuille.

Par ailleurs, les stablecoins permettent aux investisseurs en cryptomonnaies de sécuriser leurs plus-values à l'abri de la fiscalité. En effet, si vous voulez empocher vos gains réalisés en Bitcoin, Ethereum, Cardano ou Litecoin, par exemple, sans être soumis à la flat tax, il vous suffit de les convertir en stablecoins. De fait, la taxation sur les cryptomonnaies ne s'applique que lorsque les jetons sont convertis en une devise ayant cours légal et pas lorsqu'une cryptomonnaie est convertie en une autre.
De toute évidence, un actif avec une faible volatilité limite les gains possibles. Les stablecoins n'ont donc pas pour finalité de réaliser des gains substantiels, mais plutôt de stériliser une partie de son capital sous forme de cryptomonnaies. Par ailleurs, les stablecoins ne sont pas liés à des projets particuliers comme c'est le cas pour d'autres cryptomonnaies innovantes.
Le second inconvénient demeure le problème de liquidités. Tous les stablecoins ne sont pas aussi liquides. Pour preuve, la capitalisation des trois premiers stablecoins (Tether, USD Coin, Binance USD) représente près de 85 % de la capitalisation de l'ensemble de la cinquantaine de stablecoins existants. En outre, certaines monnaies virtuelles comme Dai, indexée à 100 % sur le dollar, sont garanties par un mix de cryptomonnaies. À l'inverse, Tether, également indexé à 100 % sur le dollar, est garanti par la même quantité de dollars en réserve.
Les stablecoins connaissent un succès croissant et leur part dans le marché des cryptomonnaies devient de plus en plus importante. Ce nouveau type d'actif apparaît à la fois comme une alternative aux monnaies traditionnelles et comme un moyen de diversifier son portefeuille Bitcoin et autres cryptos. On notera en effet l'extrême progression de Tether ces derniers mois. Entre mi-2020 et mi-2021, la capitalisation de Tether a augmenté de plus de 600 %, passant de 9 Mds $ à 64 Mds $.

Cette démocratisation forte des stablecoins est à mettre en perspective avec les performances globales du marché des cryptoactifs, ainsi que la volonté de sécuriser les gains. De cette façon, la naissance d'un marché de stablecoins assure une plus grande stabilité au marché des monnaies virtuelles. Le succès des stablecoins devrait être amené à se poursuivre. D'une part, leur stabilité sert d'assurance à l'ensemble du marché des cryptos lors des phases correctives (prises de bénéfices, spéculation sur les changes et les métaux, etc.). D'autre part, les stablecoins sont une véritable innovation monétaire au succès croissant (paiements Visa, etc.). Les utilisateurs deviennent leur propre banquier.

La plupart des stablecoins sont indexés sur des devises, dont principalement le dollar. Ces nouveaux actifs jouent un peu le même rôle que les billets du XVIIIe siècle, garantissant l'équivalent en réserve. En conséquence, les émetteurs de stablecoins sont un peu des « *banques numériques* » qui émettent des cryptos avec leur équivalent en réserve. Ainsi, certaines banques centrales affichent leur volonté de réguler les stablecoins au même titre que le système bancaire traditionnel.

Fin 2020, la Banque des règlements internationaux a publié un rapport suggérant la régulation des stablecoins. Ce rapport précise que « *les répercussions des stablecoins sur la désintermédiation du traditionnel secteur bancaire doivent également être prises en compte. [...] Les prêts bancaires traditionnels pourraient devenir plus coûteux (voir Kahn, 2016). Une implication étroitement liée est que les banques pourraient recevoir des entrées substantielles sur leurs bilans si les stablecoins étaient dans l'obligation de conserver des réserves à la banque centrale* ». En clair, l'enjeu est d'autant plus fort que les banques centrales développent leurs propres stablecoins. Ces volontés de régulations ont aussi été reprises par la Banque d'Angleterre ou encore la Banque de France.

Conclusion

« *Le nouveau ne sort pas de l'ancien, mais apparaît à côté de l'ancien, et lui fait concurrence jusqu'à le ruiner*[37]. » ; voilà ce qu'écrivait le célèbre économiste Joseph Schumpeter, il y a 80 ans.

Les cryptomonnaies n'agissent ni à l'encontre ni en faveur du système actuel ; mais en complément inévitable à celui-ci. Ce livre s'est efforcé de montrer que les cryptomonnaies sont la conséquence d'un processus historique global inévitable, fait d'innovations et de nouveaux besoins, dans un monde où la prospérité n'a jamais été aussi imposante.
Nous devons cependant reconnaître que les cryptomonnaies sont loin d'être parfaites. Nous devons aussi reconnaître que les cryptomonnaies, si elles sont une de ces grandes innovations monétaires, ne vont pas s'imposer en une décennie, ni dans leur état actuel. Mais nous devons reconnaître que les cryptomonnaies font reculer les limites liées à l'absence de marché monétaire, et constituent l'un des moyens de progression du néo-capitalisme numérique de demain. Sans doute, la jeunesse des cryptomonnaies laisse devant nous toutes les hypothèses de développement du marché tel que nous le connaissons aujourd'hui. La régulation, l'évolution des politiques monétaires et fiscales, la financiarisation extrême, l'évolution de la volatilité et des performances, et la naissance de nouveaux secteurs seront toutes déterminantes pour l'avenir glorieux ou morne des cryptomonnaies.
Ces pages sont le condensé de très nombreux mois de travaux et de publications dans le cadre personnel et

[37] *Capitalisme, socialisme, démocratie*, Joseph Schumpeter, 1942.

professionnel. Les études techniques, statistiques, économiques et financières présentées ici ont soulevé des aspects encore jamais traités, et des conclusions parfois inattendues, voire contraires aux croyances actuelles. Nous avons montré l'intérêt économique et historique naissant des cryptomonnaies. Nous avons également montré le cœur du fonctionnement des cryptomonnaies et leur intérêt récent dans la finance. Les cryptomonnaies, ou cryptoactifs, suivent également des principes de gestion peu différents des actifs traditionnels et encore trop globalement ignorés.
La blockchain révolutionne les notions de propriété, d'échange, de monnaie, d'investissement, de financement et de communication. La blockchain est à Internet ce que les voitures étaient au train. Le train était un système de communication centralisé à l'État ou au monopole de quelques compagnies. Ce système est devenu obsolète du fait de son coût et de sa grande centralisation qui limitait les échanges (là encore, tous les agents n'avaient pas le même intérêt selon leur proximité aux lignes). La voiture a cassé ce système, et tout le monde est devenu le propriétaire de son moyen de transport. La décentralisation des communications a complexifié le réseau, accru les échanges et l'efficacité des connexions entre territoires. Et bien que les routes soient globalement entretenues par l'État ou par des monopoles privés, il n'en demeure pas moins que la décentralisation des communications, avec des dizaines de millions de voitures privées, a mené à l'un des plus grands progrès de l'Humanité. Aujourd'hui, le coût d'entretien de ces communications numériques est presque nul, et tandis que celui-ci est équitablement supporté entre les utilisateurs, l'intervention nécessaire de l'État en devient aussi faible.

Les cryptomonnaies sont une des grandes innovations du siècle, à l'image d'un capitalisme mondialisé, moins dépendant des gouvernements, impliquant le besoin de monnaies mondiales (et donc non nationales) qui puissent se faire concurrence sur un marché où les ajustements monétaires seraient directement simplifiés. Ce livre a abordé des aspects théoriques et pratiques que seule une telle technologie pouvait soulever. La rapidité d'évolution de ce marché est aussi impressionnante que mouvementée. Ces pages montrent à quel point la Blockchain soulève des enjeux bien supérieurs à ce qu'elle laisse paraître auprès des gouvernements (finance décentralisée, rendements, spéculations, géopolitique, économie, etc.). Les perspectives les plus fascinantes se sont développées et les avancées les plus disruptives sont à venir, à moins que des pays peu développés ou politiquement fermés s'y opposent naturellement.
Ainsi, l'une des grandes personnalités politiques de l'Histoire de France, peut-être l'une des plus corrompues, mais probablement l'une des personnalités les plus brillantes et admirables, écrivait que « *dans les temps de révolutions, on ne trouve d'habileté que dans la hardiesse, et de grandeur que dans l'exagération*[38] ». Il y a dans les révolutions économiques cet incroyable bouleversement de la pensée et des esprits, conduisant toujours à la fortune d'une minorité et au sang des conflits de la majorité. Les cryptomonnaies sont comme ces innovations qui bouleversent la pensée et qui conduisent parfois à de vifs conflits par l'extrémité des changements. De nouvelles fortunes se font, l'élite se transforme, et l'ordre ancien finit toujours par disparaître,

---

[38] Charles Maurice de Talleyrand-Périgord (1754-1838), dans ses *Mémoires* (1891). Il fut un des acteurs déterminants dans le déroulement de la Révolution française, l'ascension de Napoléon, puis la restauration de la monarchie en 1815, etc.

aussi rapidement qu'il a pris le pouvoir. Hébétée par les technologies anciennes, l'élite ne tarderait pas à changer ses membres ; et par ce phénomène, à changer la nature de sa domination sur la société économique.
Friedrich Hayek avait prophétisé, jusqu'aux détails les plus troublants, un monde où l'idée de la concurrence des monnaies serait toujours plus proche, au fur et à mesure que les États perdraient naturellement leur efficacité, et que le progrès technique réduirait les barrières qui séparent les individus. L'État de demain, c'est peut-être aussi un agrégat de communautés fondées sur la propriété numérique la plus abstraite qu'il soit. Néanmoins, il est de notre devoir de faire en sorte que cette nouvelle arme du libéralisme le plus sain ne tombe pas dans les mains d'une nouvelle élite politique avide d'autorité ; rappelant toujours l'incroyable avancée qu'un tel modèle procure à la société. Si une révolution monétaire se dessine subrepticement avant le milieu de ce siècle, l'ordre politico-économique actuel sera voué à disparaître, faisant naître une nouvelle forme d'élite monétaire et fiscale. Ce nouveau monde, initié par les cryptomonnaies, n'est pas si loin. Aussi, nous nous dirigeons dans la perspective d'un monde toujours plus numérique, qui sera déployé jusqu'aux plus infimes recoins du peuple, avec un niveau de traçabilité jamais égalé, et qui paradoxalement sera dominé par le charme de la décentralisation et du prestige de la liberté d'échange qui en découle. Dès lors, un des enjeux du monde de demain réside indiscutablement dans la Blockchain, et probablement ainsi les cryptomonnaies.
Nous avons laissé le premier mot de ce livre à l'économiste Friedrich Hayek ; nous lui accorderons les derniers mots au crédit de l'Audace prémonitoire de ses idées. Friedrich Hayek était un des grands penseurs de la monnaie qui a probablement inspiré le fondateur de

la cryptorévolution, Satoshi Nakamoto. Néanmoins, nous devons accorder au(x) créateur(s) du Bitcoin et de la Blockchain d'être allés plus loin encore, en établissant un modèle décentralisé, de telle sorte que le marché n'appartient pas forcément à des entreprises centralisées, mais à un ensemble d'entreprises et de particuliers en charge d'assurer le bon fonctionnement de la monnaie qu'ils défendent.

« *La correspondance parfaite des projets des individus, qui correspond au modèle théorique de l'équilibre parfait, diverge de l'idée que la monnaie nécessaire pour rendre possibles des échanges indirects n'a pas d'influence relative sur les prix, ce qui est une image entièrement fictive à laquelle rien dans le monde réel ne peut correspondre.* [...]
J'admettrai volontiers que la solution provisoire (où l'expérimentation de la concurrence monétaire serait graduellement améliorée), bien que nous donnant une monnaie infiniment meilleure et bien plus de stabilité économique générale que nous n'en avons jamais eu, laisse ouvertes diverses questions auxquelles je ne peux encore répondre. Mais cette solution semble répondre aux plus urgents besoins, bien meilleure qu'aucune perspective qui semblait exister tandis que personne n'envisageait le monopole de l'émission de la monnaie et de la libre admission de la concurrence dans le commerce de la monnaie[39]. »

Friedrich August von Hayek
(1899-1992)

[39] Tiré de *Denationalisation of Money*, Friedrich Hayek, partie « Neutral money » fictitious, page 88.

Annexes

Les plateformes pour investir sur les cryptomonnaies

Depuis la première bulle de 2017, un nombre important de plateformes se sont développées afin de permettre les échanges et la gestion de son portefeuille en cryptomonnaies. L'offre de cryptos disponible sur ces plateformes est plus ou moins grande, chacune offrant plus ou moins de sécurité et de liquidités. À ce jour, les plateformes stars sont respectivement Binance, Coinbase, KuCoin, FTX ou encore Kraken, ainsi que des plateformes comme SwissBorg, etc. Des articles sur *Cafedelabourse* sont par exemple à disposition sur le détail des avantages et inconvénients de certaines plateformes. Les frais de transaction appliqués sont généralement assez faibles, mais certaines plateformes pratiquent des frais de retrait. De même, le nombre de cryptomonnaies disponibles à l'achat dépend des plateformes, et les différents produits proposés, dont l'effet de levier ou les rendements, sont propres à chaque plateforme.

Pour les NFT, les cryptomonnaies plus petites ou des portefeuilles plus spécialisés, on citera des exchanges comme Uniswap pour les tokens basés sur la Blockchain Ethereum (ERC20), Pancakswap pour les bep20(BSC), ou Ubeswap pour les tokens CELO. En outre, ces plateformes permettent d'échanger des cryptomonnaies et tokens à partir de portefeuilles numériques comme MetaMask. Les wallets, ou portefeuilles numériques, permettent de stocker de manière sécurisée ses cryptomonnaies en portefeuille. Dès lors, les plateformes d'échanges servent principalement à accéder à la plus vaste gamme de cryptomonnaies que possible. Pour les tokens basés sur Ethereum, on peut par exemple utiliser le site etherscan.io qui référence tous les tokens ERC20.

Enfin, pour tout investissement sur d'autres plateformes ou projets, on insistera par ailleurs sur le risque frauduleux de certains projets, l'AMF offre sur son site une liste noire des projets à éviter.

Théoriser un marché monétaire... par Thomas Andrieu

La décentralisation des monnaies apparaît comme une condition essentielle à la prospérité des économies. L'idée globalement admise, que le gouvernement doit garantir une monnaie unique, conduit à des tensions permanentes entre l'évolution de la valeur de cette monnaie et l'intérêt des agents.
L'euro est un bon schéma des désavantages d'une monnaie unique... Certains pays subissent un euro trop cher du fait de leur dette importante et de leurs difficultés (Italie, Espagne, France, etc.). D'autres pays bénéficient quant à eux d'une monnaie moins chère (pays du Nord). L'euro n'a pas les mêmes avantages pour tous les pays européens (différences fiscales, de revenus, de droits, etc.). Le même processus est décrit à l'échelle d'une monnaie nationale : certaines régions ou certaines entreprises d'une même nation utilisent une monnaie qui est profondément désavantageuse pour eux. La Chine pratique par exemple des politiques de stérilisation des changes depuis de nombreuses années, ce qui a pour effet de maintenir artificiellement la monnaie sous sa valeur réelle. Bien évidemment, la monnaie unique favorise la rapidité des échanges, mais cet argument n'est plus valide dans un monde où la conversion d'une monnaie à l'autre est immédiate, sans coût, et extrêmement simple.
Le problème de la décentralisation de la monnaie est caractéristique d'un monde ultra-mondialisé. Dans les années 1960, l'économiste Robert Mundell a concrétisé les problèmes majeurs que soulevait le système de

changes fixes, monopolisé par les banques centrales. Robert Mundell a ainsi théorisé ce que l'on appelle le *Trilemme de Mundell,* ou triangle d'incompatibilité. Dans un système de change fixe, il ne peut pas y avoir d'une part une politique monétaire indépendante qui fixe le taux à court terme, et d'autre part une parfaite liberté de circulation des capitaux. La mondialisation des Trente Glorieuses a mené à ce problème caractéristique du besoin de décentralisation de la monnaie.

Aujourd'hui, un problème monétaire du même ordre se pose avec l'extrême centralisation de la monnaie. Il ne peut pas y avoir de politique monétaire autonome sans que celle-ci porte préjudice à certaines catégories d'agents. Tout l'enjeu des politiques monétaires et fiscales récentes a été d'accroître l'intérêt monétaire de l'État au détriment du bon fonctionnement des marchés économiques et financiers. Écrit plus simplement, il ne peut pas y avoir un libre fonctionnement des marchés et une libre valorisation des moyens d'échange dans un système où la monnaie est précisément centralisée. La décentralisation de la monnaie, sans contrainte de change, apparaît comme un moyen de réduire pour les entreprises et les ménages les inconvénients liés à la perpétuelle dégradation de la valeur monétaire. Cette dégradation monétaire s'est faite jusqu'ici en dehors de toutes les règles et besoins du marché, et en conformité à la volonté d'un État.

Ainsi, ce que nous pourrions nommer le dilemme de Hayek, ou le *dilemme de la monnaie unique,* repose sur l'idée qu'une monnaie unique ne peut satisfaire à une grande densité et un grand volume d'échanges, avec des institutions dont l'intérêt est divergent : l'intérêt monétaire des États est d'agir au niveau local et non international, d'agir sur des critères politiques et non économiques, d'agir sur des critères macroéconomiques

plus que microéconomiques... Pour un certain degré de développement de la mondialisation et d'intensité des échanges, il y a une divergence inévitable et croissante entre les intérêts de l'État d'une part, et les intérêts des entreprises et ménages d'autre part. La mondialisation accroît la concurrence monétaire entre les États, et rend l'utilité d'une monnaie centralisée toujours plus faible jusqu'à détruire son utilisation. On ne rappellera jamais assez que la monnaie est une information, et que celle-ci voit son importance grandir avec la croissance. Tout l'enjeu est d'avoir une information monétaire équilibrée, qui accorde et profite aux intérêts de tous les agents économiques. Friedrich Hayek insistait sur le fait que la monnaie avait deux fonctions : une fonction d'information sur les flux et les richesses, et une fonction de répartition de ces mêmes richesses. La modification de la masse monétaire influe non seulement sur la circulation de la monnaie, mais surtout symétriquement sur les prix et les quantités produites, aussi avantageux ou pénalisant que le phénomène soit. Ce que nous formalisons comme *le dilemme de la monnaie unique* est qu'un système centralisé ne peut bénéficier à aucun des agents en conflit sur la question du pouvoir monétaire.
Dès lors, on suppose l'existence de monnaies concurrentes. Premièrement se pose la question du taux de change. Il existe deux manières de traiter du taux de change entre deux monnaies : d'une part, le taux de change nominal (celui exprimé couramment, comparant le nombre d'unités de monnaie A échangeable avec B) ; et d'autre part, le taux de change réel (le taux de change comparé au prix dans les deux pays[40]). Typiquement, la valeur extérieure d'une monnaie dépend de la balance commerciale, de la balance des paiements, ou encore des

---

[40] Taux de change réel = (taux de change nominal x Prix des biens intérieurs)/(Prix des biens extérieurs)

taux réels (taux d'intérêt ajustés de l'inflation). Ce qui importe entre deux pays comparables, c'est la rémunération du capital, c'est-à-dire les taux d'intérêt (ajustés de l'inflation).

Maintenant que nous avons posé les bases des théories monétaires, nous pouvons concrétiser une application de la monnaie à la concurrence. La relation ancienne établie par l'économiste Irving Fisher nous donne une première approche de la monnaie, globalement admise de nos jours :

Prix x quantités = Masse Monétaire x Vélocité

Une monnaie n'a pas intérêt à subir une inflation supérieure (ou inférieure) à ce que la croissance implique en termes de hausse des prix. En ce sens, toute manipulation monétaire plus ou moins arbitraire génère une sorte de *risque de change.* De nos jours, nous avons des banques centrales qui pratiquent simultanément des politiques de création monétaire massive, ce qui réduit sensiblement ce risque de change… Mais le processus de « dévaluations monétaires compétitives » dans un système de change flottant est risqué…

Supposons qu'une économie soit composée de 1 000 biens au prix unitaire de 10 €. Cela nous donne un ensemble de valeur de 10 000 €. Dans le cadre d'une monnaie unique, on peut supposer qu'il y a 5 000 € de monnaie en circulation avec une vélocité de 2.

Prix x quantités =10 € x 1 000 = 10 000 €
= 5 000 € x 2 = Masse(s) monétaire(s) x Vélocité(s)

Mais supposons maintenant qu'il n'y ait non pas une seule masse monétaire, mais des masses monétaires ; supposons qu'il n'y ait pas une vélocité, mais des vélocités. Quel serait le système que l'on obtiendrait ? On considère dans un premier temps la concurrence égale de deux monnaies.

Situation initiale	**Vélocité**	**Masse monétaire**	PIB
Monnaie 1	**3**	**1 666**	5000
Monnaie 2	**1**	**5 000**	5000
TOTAL	-	-	10 000

Dans le cas où deux monnaies concurrentes compenseraient une monnaie unique, les avantages ou inconvénients d'adopter un système centralisé ou décentralisé sont identiques. Le système génère autant de richesses à utiliser une monnaie que deux monnaies. Nous pouvons désormais compliquer notre raisonnement. Nous considérons désormais 4 monnaies dont la part de marché est différente. Ces 4 monnaies génèrent jusqu'ici le même total de richesses que dans notre exemple (10 000). On s'intéressera essentiellement à la conclusion de cette démonstration, le passage de calcul matriciel qui suit est indicatif.

Pour déterminer les conditions d'existence de nos 4 monnaies, nous avons besoin de la part de marché de chaque monnaie, de la vélocité et la masse monétaire associée à chaque monnaie, et enfin du taux d'échange qui existe entre les monnaies. À partir de là, nous serons en capacité de juger si les conditions monétaires de concurrence sont plus ou moins favorables qu'un système plus centralisé, et surtout d'imaginer comment notre système évolue de période en période.

On suppose les parts de marché respectives des monnaies 1, 2, 3 et 4 (contribution de chaque monnaie aux échanges qui forment le PIB total) : 35 %, 27,5 %, 12,5 % et 25 %. Ces monnaies contribuent de manière différente au PIB, avec des vélocités et des masses en circulation différentes. On considère que la masse monétaire et la vélocité importent peu. Ainsi, on détermine donc le système suivant avec les masses monétaires associées suivantes : 1 000, 500, 1 666 et 700. En découle le système ci-dessous.

$$10\,000 = \begin{cases} V_1M_1 = 3\,500 \\ V_2M_2 = 2\,750 \\ V_3M_3 = 1\,250 \\ V_4M_4 = 2\,500 \end{cases} = \begin{cases} 3{,}5 \times 1\,000 = 3\,500 \\ 5{,}5 \times 500 = 2\,750 \\ 0{,}75 \times 1666 = 1\,250 \\ 3{,}571 \times 700 = 2500 \end{cases}$$

Désormais, représentons le taux de conversion qui existe entre les différentes monnaies. C'est-à-dire qu'une monnaie sera amenée à être échangée dans chacune des 4 suivantes afin d'assurer les transactions. En réalité, on s'aperçoit que toute la cohérence de la concurrence monétaire repose presque sur le seul principe de la relation d'échange qui existe entre les monnaies. Pour continuer notre exemple, nous déterminerons arbitrairement quelles monnaies sont plus attractives que les autres, même si la stabilité des monnaies, de leur masse monétaire et de leur vélocité est une condition essentielle à l'émergence et à la chute des moyens d'échange dans l'Histoire. Les taux d'échange qui permettent les interactions entre monnaies sont représentés par la matrice ci-dessus (en pour 1). On partira cependant du postulat selon lequel le maintien d'une grande vitesse de circulation de la monnaie implique un faible taux de réserve (c'est-à-dire que la quasi-totalité de la monnaie est convertie en d'autres monnaies et inversement). Par exemple, la troisième ligne de la première colonne (0,24) permet de déduire que 24 % de la monnaie 1 a été convertie en monnaie 3 sur la période considérée.

$$Conversion\ rate = \begin{pmatrix} 0{,}16 & 0{,}40 & 0{,}20 & 0{,}10 \\ 0{,}40 & 0{,}05 & 0{,}35 & 0{,}3 \\ 0{,}24 & 0{,}30 & 0{,}30 & 0{,}30 \\ 0{,}20 & 0{,}25 & 0{,}15 & 0{,}30 \end{pmatrix}$$

Une fois que nous avons la part de marché des monnaies et leurs conversions respectives, un processus dynamique prend place. Disons que chaque année, la part de marché de chaque monnaie va changer car les taux de conversion vont stabiliser la part de marché des monnaies autour d'un *équilibre de concurrence monétaire...* Pour savoir quelle sera la part de marché de chaque monnaie au bout d'un an, par exemple, on multiplie la répartition que l'on a établie précédemment (35 %, 27,5 %, 12,5 %, 25 %) par les conversions qui agissent du fait de la concurrence entre monnaies. On obtient ainsi le calcul ci-dessous.

$$N_1 = (0{,}35 \quad 0{,}275 \quad 0{,}125 \quad 0{,}25) \times \begin{pmatrix} 0{,}16 & 0{,}40 & 0{,}20 & 0{,}10 \\ 0{,}40 & 0{,}05 & 0{,}35 & 0{,}3 \\ 0{,}24 & 0{,}30 & 0{,}30 & 0{,}30 \\ 0{,}20 & 0{,}25 & 0{,}15 & 0{,}30 \end{pmatrix}$$

En conséquence, la répartition du marché évolue sur la première année, et on obtient respectivement la répartition suivante pour les monnaies 1, 2, 3 et 4 : 24,6 %, 25,4 %, 24,1 % et 23 %. L'observation frappante est que la monnaie 1 a fortement décliné ; que les monnaies 2 et 4 ont légèrement décliné ; et que la monnaie 3 s'est très fortement appréciée. Autrement dit, les contributions de chacune des 4 monnaies à la richesse (10 000 dans notre exemple) se sont fortement stabilisées autour d'un même *attracteur de concurrence.*

On poursuit la logique de stabilisation autour d'un état de concurrence. Écrit autrement, quel est donc l'état stable de cette matrice, c'est-à-dire quel est l'équilibre de marché ? Au bout de la troisième année, on obtient déjà une répartition quasi équitable avec près de 25 % de part de marché pour chaque monnaie. Cette observation est évidemment encore à complexifier...

$$N_2 = (0{,}246 \quad 0{,}25375 \quad 0{,}24125 \quad 0{,}23) \times \begin{pmatrix} 0{,}16 & 0{,}40 & 0{,}20 & 0{,}10 \\ 0{,}40 & 0{,}05 & 0{,}35 & 0{,}3 \\ 0{,}24 & 0{,}30 & 0{,}30 & 0{,}30 \\ 0{,}20 & 0{,}25 & 0{,}15 & 0{,}30 \end{pmatrix}$$

$$N_3 = (0{,}2447 \quad 0{,}241 \quad 0{,}2449 \quad 0{,}2421) \times \begin{pmatrix} 0{,}16 & 0{,}40 & 0{,}20 & 0{,}10 \\ 0{,}40 & 0{,}05 & 0{,}35 & 0{,}3 \\ 0{,}24 & 0{,}30 & 0{,}30 & 0{,}30 \\ 0{,}20 & 0{,}25 & 0{,}15 & 0{,}30 \end{pmatrix}$$

Tout d'abord, on fera une parenthèse à notre raisonnement. L'état de concurrence n'est possible que s'il existe un bon taux de conversion des monnaies entre elles, c'est-à-dire s'il est possible d'échanger plus ou moins facilement deux monnaies entre elles. La première conclusion immédiate de notre démonstration est qu'une condition essentielle à l'existence d'un libre marché monétaire est la *facilité de conversion des monnaies.* La théorie de la concurrence monétaire ne pourrait pas être appliquée dans des économies non digitalisées, car les conversions seraient trop lentes et les ajustements du marché trop imparfaits. Ce que les cryptomonnaies révolutionnent avec la Blockchain, c'est la facilité quasi totale de conversion des monnaies. La condition manquante à l'apparition des monnaies et que soupçonnait Friedrich Hayek était celle-ci.

Parenthèse fermée, nous pouvons nous concentrer sur les mécanismes qui agissent au sein des monnaies du fait de la concurrence à partir de nos calculs. Ainsi, à partir du calcul de la stabilité des matrices, et de l'influence des changements de paramètres tels que les

prix, les quantités, la masse monétaire ou la vélocité, on peut comparer quelle situation entre la concurrence monétaire ou bien la monnaie unique est la plus souhaitable en cas de choc. Simplement écrit, on pourra donner une première réponse à la préférence pour la diversité monétaire ou l'autorité monétaire.
Nous avons vu que la part de marché des monnaies en concurrence, sous conditions fixes, évoluait vers un équilibre de concurrence. Si nous reprenons notre premier système, nous pouvons déduire la présence de certains mécanismes.

$$N_0 = 10\,000 = \begin{cases} V_1M_1 = 3\,500 \\ V_2M_2 = 2\,750 \\ V_3M_3 = 1\,250 \\ V_4M_4 = 2\,500 \end{cases} \quad et\ N_\pi = 10\,000 = \begin{cases} V_1M_1 = 2\,500 \\ V_2M_2 = 2\,500 \\ V_3M_3 = 2\,500 \\ V_4M_4 = 2\,500 \end{cases}$$

Dans notre exemple, la monnaie 3 s'est fortement valorisée tandis que la monnaie 4 est restée stable et que les monnaies 1 et 2 ont perdu une grande partie de leur influence. On notera que le PIB généré à travers ces 4 monnaies reste globalement fixe (10 000). Que s'est-il alors produit pour avoir ces réajustements ? Nous devons ici considérer quatre approches qui nous permettent de déduire à partir de la relation de Fisher plusieurs conclusions essentielles…

– *Une approche par la masse monétaire.* Une diminution de la part de marché d'une monnaie donnée peut impliquer une baisse de la masse monétaire. Réciproquement, une hausse de la part de marché d'une monnaie peut conduire à la hausse des quantités en circulation. Ainsi, la concurrence monétaire améliore indiscutablement les mécanismes de flexibilité monétaire, c'est-à-dire de destruction ou de création monétaire, ce qui n'est plus assuré aujourd'hui par les banques centrales. Si la monnaie est en quantité fixe, il y a un impact sur la vélocité, les prix ou les biens.

– *Une approche par la vélocité.* La hausse (ou baisse) de la part de marché d'une monnaie peut traduire la hausse (ou baisse) de la vitesse de circulation de la monnaie. La vélocité est un paramètre historique essentiel dans l'émergence et le déclin des monnaies. L'évolution de la vélocité est un paramètre essentiel dans le dynamisme des taux de conversion et des équilibres de concurrence.

– *Une approche par les prix.* En parallèle à la masse monétaire et la vélocité, une réduction de la part de marché d'une monnaie dans l'économie peut traduire une déflation auprès des utilisateurs de la monnaie en question. Cela a pour conséquence d'augmenter la consommation des utilisateurs possédant une épargne avec cette monnaie, ce qui contrebalance le mécanisme de déflation. Une pression inflationniste arrive sur l'économie lorsqu'une monnaie voit sa part de marché augmenter, ce qui peut conduire à une hausse des taux et de l'épargne, et une contre-pression déflationniste.

– *Une approche par les biens produits.* Pour terminer, si l'évolution des prix d'une monnaie donnée n'est pas suffisante pour expliquer l'évolution de la part de marché de la monnaie, cela provient des variations des quantités échangées de biens et de services. Ainsi, une diminution de la part de marché d'une monnaie aura tendance à contracter l'offre et/ou la demande, ce qui résulte dans une baisse des quantités échangées.

Ces approches nous permettent de voir les intérêts notables de la concurrence monétaire. Le réajustement permanent des parts de marché des différentes monnaies se traduit par la récurrence de phénomènes économiques sains (réajustements plus efficaces de l'épargne, de la consommation, de la production, etc.). En clair, la concurrence monétaire permettrait d'accroître la flexibilité de l'économie. L'économie serait un agrégat de monnaies utilisées par des groupes spécifiques (industrie, services financiers, etc.), ce qui accroît la spécialisation et les mécanismes de réajustement monétaires.

Mais que se passe-t-il en cas de croissance économique durable ? Dans ce cas, on peut imaginer que certains secteurs économiques surperforment les autres, et que les conversions et les attractivités présentes entre les monnaies changent. Globalement, pour un même nombre de monnaies, la croissance économique se traduit par une hausse des biens et services produits ou des prix pratiqués, ainsi qu'une hausse de la vélocité et/ou de la masse monétaire.

$$Conversion\ rate = \begin{pmatrix} 0{,}16 & 0{,}35 & 0{,}20 & 0{,}10 & 0{,}17 \\ 0{,}40 & 0{,}05 & 0{,}35 & 0{,}05 & 0{,}08 \\ 0{,}24 & 0{,}20 & 0{,}16 & 0{,}15 & 0{,}13 \\ 0{,}05 & 0{,}17 & 0{,}15 & 0{,}30 & 0{,}02 \\ 0{,}15 & 0{,}23 & 0{,}14 & 0{,}40 & 0{,}60 \end{pmatrix}$$

$$Concurrence\ equilibrium\ (N = year)$$

$$N_1 = (0{,}2291 \quad 0{,}1544 \quad 0{,}2274 \quad 0{,}1915 \quad 0{,}1718)$$

$$N_2 = (0{,}189 \quad 0{,}205 \quad 0{,}189 \quad 0{,}1901 \quad 0{,}188)$$

$$N_3 = (0{,}196 \quad 0{,}19 \quad 0{,}195 \quad 0{,}19 \quad 0{,}19)$$

Pour conforter notre analyse, voici une deuxième démonstration, avec 5 monnaies dont les répartitions initiales respectives sont de 8 %, 37 %, 12 %, 25 % et enfin 18 %. Les taux de conversion ont été sélectionnés arbitrairement et les conclusions observées sont parfaitement similaires. Il y a la formation d'un équilibre de concurrence[41]. Évidemment, la parfaite répartition des

[41] L'état stable de la matrice est exactement un équilibre à 19,1 % pour chaque monnaie ; ce qui signifie que le poids total des monnaies

monnaies ne corrèle probablement pas avec la réalité du fait de la loi de puissance observable sur tous les marchés[42]. Cependant, c'est une démonstration évidente de l'existence d'un équilibre structurel.
Nous effectuons enfin une dernière démonstration absolument majeure pour la finalité de notre raisonnement. Dans les exemples précédents, nous partions du principe que 100 % de chaque monnaie était fidèlement convertie, soit en elle-même, soit en d'autres monnaies. Mais considérons désormais un paramètre de destruction ou de création monétaire, singulier à chaque monnaie... Plutôt que de se convertir à 100 %, une monnaie ne pourra par exemple convertir que 90 % du montant qu'elle représentait l'année précédente, ce qui veut dire que l'on peut assister à une forme de destruction monétaire ou une chute de vélocité. Inversement, une monnaie pourra être convertie à 110 % du montant de l'année précédente, ce qui aboutit à une création monétaire ou une hausse de la vélocité. Ainsi, on inclut dans la matrice des taux de conversion considérant certains paramètres comme la création ou la destruction monétaire.
Ensuite, on applique le calcul sur 5 années. Au bout de chaque année supplémentaire, on observe que la part de marché de toutes les monnaies tend à croître. Là encore, il y a une stabilisation relative vers *un équilibre de concurrence*, ce qui provoque dans notre modèle une évolution des prix et de PIB. Pour la 5e année, on corrige ainsi la répartition par l'évolution du PIB pour obtenir la répartition réelle de la part de marché des monnaies et comparer l'évolution de l'équilibre de concurrence.

---

est de 95,5 % du PIB de l'année initiale. Il y a donc un repli des masses monétaires ou des vélocités, sinon des prix ou des biens. À l'inverse, il peut y avoir une simple croissance économique (supposons par exemple qu'une 6e monnaie apparaîsse avec une part de marché de 4,5% pour obtenir le PIB total).
[42] Moins le marché est concurrentiel, plus une minorité d'agents tend à détenir une majorité de ressources.

$$Conversion\ rate = \begin{pmatrix} 0{,}16 & 0{,}35 & 0{,}20 & 0{,}10 & 0{,}17 \\ 0{,}40 & 0{,}05 & 0{,}35 & 0{,}05 & 0{,}08 \\ 0{,}24 & 0{,}20 & 0{,}16 & 0{,}15 & 0{,}13 \\ 0{,}05 & 0{,}17 & 0{,}15 & 0{,}30 & 0{,}02 \\ 0{,}5 & 0{,}3 & 0{,}04 & 0{,}30 & 0{,}70 \end{pmatrix}$$

Total conversion rate for each currency : 90% ; 107% ; 90% ; 90% ; 110%.

$$N_1 = (0{,}2921 \quad 0{,}167 \quad 0{,}2094 \quad 0{,}1735 \quad 0{,}19); GDP = 103{,}2\%$$

$$N_2 = (0{,}268 \quad 0{,}239 \quad 0{,}184 \quad 0{,}178 \quad 0{,}2267); GDP = 109{,}57\%$$

$$N_3 = (0{,}3049 \quad 0{,}241 \quad 0{,}2025 \quad 0{,}188 \quad 0{,}25); GDP = 111{,}64\%$$

$$N_4 = (0{,}328 \quad 0{,}2662 \quad 0{,}216 \quad 0{,}2043 \quad 0{,}276); GDP = 129{,}05\%$$

$$N_5 = (0{,}359 \quad 0{,}289 \quad 0{,}235 \quad 0{,}2226 \quad 0{,}3024); GDP = 140{,}8\%$$

N_5 *corrigé de la croissance nominale:*

$$N_{5-2} = (0{,}255 \quad 0{,}205 \quad 0{,}167 \quad 0{,}158 \quad 0{,}215)$$

Ainsi, avec une répartition initiale de la part de marché des monnaies de 8 %, 37 %, 12 %, 25 % et 18 %, nous arrivons au bout de la 5e année à 25,5 %, 20,5 %, 16,7 %, 15,8 % et 21,5 %. Les taux de conversion respectifs de chaque monnaie par rapport à l'année précédente étaient : 90 %, 107 %, 90 %, 90 % et 110 %. Dans notre modèle, la monnaie 1 a considérablement accru son attractivité, ainsi que les monnaies 3 et 5 qui ont progressé. À l'inverse, la monnaie 2 s'est effondrée de presque de moitié, tout comme la monnaie 4. Mais globalement, il est impératif de préciser que ce dernier modèle de concurrence s'est accompagné d'une croissance économique globale qui a mené à l'expansion absolue de toutes les monnaies.

De plus, les monnaies qui ont un pouvoir de marché supérieur à la moyenne sont les monnaies 1 et 3. À partir de ces observations, la conclusion qui nous vient à l'esprit est limpide. Deux paramètres majeurs déterminent alors *l'équilibre de concurrence monétaire* : premièrement, la part de marché initiale de chaque monnaie par rapport à la moyenne (par exemple, la monnaie 1 a très fortement progressé du fait de son infériorité et sa plus faible valeur) ; le deuxième paramètre est l'évolution de l'attractivité de chaque monnaie selon les paramètres d'évolution de la masse monétaire, de leur utilisation ou encore de croissance (les monnaies 1 et 3 au-dessus de la moyenne en part de marché, ce sont des monnaies dont le taux de conversion est décroissant). La stabilité parfaite du modèle de concurrence monétaire avec des parts de marché équivalentes est atteinte si toutes les monnaies sont parfaitement stables, c'est-à-dire avec un PIB, une vélocité et une masse monétaire tous constants. Tout l'enjeu a été de montrer empiriquement et dans les grandes lignes qu'une modification de ces paramètres économiques dans un modèle de concurrence conduit au maintien d'une forme de stabilité monétaire. Ainsi, les monnaies qui subissent l'inflation sont pénalisées, typiquement les monnaies qui sont de plus en plus rapidement converties (taux de conversion supérieur à 100 %), tandis que les monnaies qui subissent la déflation ou bien la raréfaction seraient favorisées. Enfin, on ne prend pas ici en considération directe le paramètre de vélocité qui permettrait d'ajuster vers une évolution du PIB plus constante : des monnaies dont la vélocité est durablement décroissante du fait de la déflation seraient naturellement évincées par contre-effet. Néanmoins, cela ne veut pas dire que le modèle de concurrence monétaire favoriserait mécaniquement des monnaies rares, bien au contraire. Une monnaie trop rare serait également vouée à disparaître. Dans tous les cas, la croissance économique génère une modification de l'équilibre de concurrence monétaire, ce qui mène à la perte de valeur globale de toutes les monnaies en concurrence. Dès qu'un marché naît, le paradoxe de Pareto le suit inévitablement[43].

---

[43] Une majorité d'agents détient une minorité de ressources et une minorité d'agents détient une majorité de ressources. Cela conduit à la formation d'exceptions sur un marché quelconque. De grandes fortunes peuvent se faire pendant les Dépressions économiques tout comme de nombreux ruinés peuvent naître des grandes phases de croissance. Le même principe est imaginable avec des monnaies comparées à l'équilibre global de concurrence.

Tout cela démontre l'existence forte d'un *équilibre de concurrence monétaire,* qui malgré les variations des masses monétaires, des vélocités, des quantités produites et des prix en économie, permettrait des ajustements monétaires généralement plus flexibles qu'ils le sont dans le système traditionnellement établi.
Pour finir, on insistera sur le fait que l'exemple traité ici n'est qu'une illustration et permet de démontrer certaines propriétés des relations assimilables à une situation de concurrence monétaire. De plus, notre étude ne porte que sur la concurrence de 4 à 5 monnaies. Une étude sur le nombre de monnaies efficientes montrerait des conclusions encore plus fascinantes. Par ailleurs, le changement des taux de conversion considérés des différentes monnaies peut modifier radicalement les équilibres de concurrence, même si la concurrence monétaire tendra toujours et inévitablement vers un équilibre déterminé.
Le dernier paramètre à considérer est que les masses monétaires, les vélocités, les taux de conversion, le PIB, les prix et le nombre de monnaies sont tous des paramètres dynamiques et variables. Nous avons essayé d'envisager les différentes réactions du système face à de tels changements, sans pour autant le démontrer pour l'heure. Néanmoins, il fait désormais peu de doutes sur le fait qu'un *équilibre de concurrence monétaire* améliorerait fondamentalement l'*optimum monétaire* de l'économie.

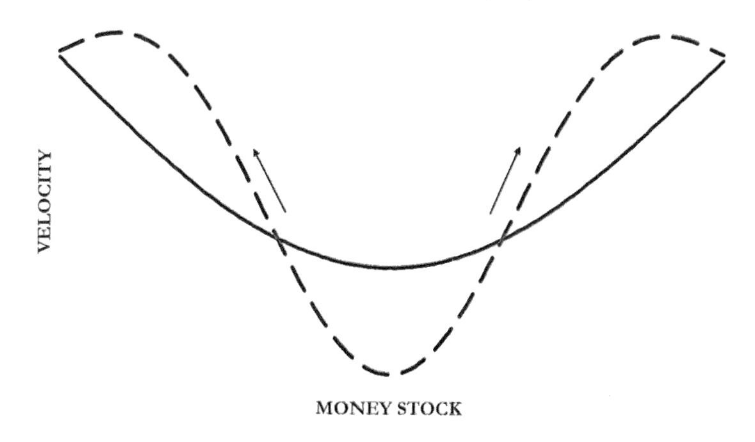

Pour résumer nos conclusions, voici un graphique réalisé par mes soins. Ce *graphique en vol d'aigle* nous montre tout l'intérêt de la préférence pour la diversité monétaire. L'axe des abscisses reprend la masse monétaire tandis que l'axe des ordonnées représente la vitesse de circulation de la monnaie. La ligne continue illustre une situation de monnaie unique. Sous un système de monnaie unique, une quantité trop abondante de monnaie provoque une spirale inflationniste, ce qui entraîne une explosion de la vélocité. Inversement, une pénurie extrême de monnaie implique une vélocité très élevée pour permettre à l'économie de fonctionner *a minima.* Quand on multiplie l'abscisse et l'ordonnée de la courbe à un endroit donné, on obtient le PIB (Masse monétaire x Vélocité). Ainsi, plus la courbe est décalée en haut à droite, plus la richesse est grande.

Dès lors, à partir de nos observations précédentes, on théorise les effets de la concurrence monétaire. Passé un certain niveau de développement, la concurrence monétaire accroît la rapidité des ajustements monétaires (prix, quantités, vélocité, masse monétaire), ce qui permet de gagner en efficacité (mondialisation supplémentaire, spécialisation des économies, rapidité des échanges, etc.). Ainsi, pour un certain degré de développement technique, la concurrence monétaire permet de créer des inflexions sur la courbe ci-dessus. Écrit simplement, pour une même masse monétaire dans un système de monnaie unique, la concurrence monétaire génère comparativement un surplus de richesses. Plus les monnaies se font concurrence, plus la courbe présentée précédemment va se diviser de manière fractale[44], plus les gains économiques seront grands.

Le problème de la monnaie unique, c'est la rigidité des mécanismes monétaires qui contribuent parfois au chômage, aux récessions, mais aussi aux relances, à l'envolée ou au blocage des prix, etc. La monnaie ne doit pas être une contrainte économique. La liberté de commercer la monnaie devrait être établie pour mettre fin à un monopole dont l'efficacité n'est plus assurée aujourd'hui. Les prochaines décennies nous confronterons à cette observation, et à des questionnements sur l'évolution des dettes publiques, des taux et des masses monétaires. Ainsi, lorsque de la monnaie est créée sous un système de monnaie unique, cela diminue mécaniquement la vélocité si l'inflation ou la production n'augmente pas d'autant. Le caractère profondément binaire des politiques monétaires (contrainte ou avantage) correspond de moins en moins à nos économies décentralisées. De toute évidence, un passage à un modèle de concurrence monétaire impliquerait une refonte totale des théories monétaires et budgétaires à l'image de l'ancien capitalisme triomphant.

Notre démonstration empirique est extrêmement explicite sur le fait qu'un «*étalon Bitcoin*» rigide, l'idée

---

[44] Ce qui démontre en termes économiques une forme d'efficacité marginale décroissante de la concurrence monétaire.

d'adosser le Bitcoin au système monétaire, est une illusion et va à l'encontre de la nature réelle de l'existence de plusieurs monnaies en concurrence. De manière absolue, aucun étalon n'a jamais perduré dans l'Histoire, car la préférence monétaire pour la diversité est variable au cours du temps, et ne disparaît jamais vraiment.
Enfin, si l'on divise le graphique en trois parties (gauche, centre, droite), trois conclusions évidentes s'exposent à nous. Plus on se décale à gauche du graphique, plus le degré de pauvreté est grand. De plus, lorsque la courbe en pointillés dépasse la courbe continue, la concurrence monétaire est préférable au système monétaire unique. Dès lors, ce graphique explique non seulement pourquoi le haut Moyen Âge était une anarchie monétaire (concurrence de monnaies anciennes sans réelle administration de l'État) ; mais ce graphique explique également pourquoi la naissance du capitalisme a inévitablement mené à la monnaie unique (optimum monétaire du centre avec la monnaie unique). Ce graphique explique enfin pourquoi un degré de développement accru (droite du graphique) implique une complexification du système monétaire jusqu'alors établi.
Les périodes de plus grande misère et de plus grande prospérité ont ceci de commun qu'elles génèrent une préférence monétaire pour la diversité.

Bibliographie

Denationalisation of Money, Friedrich Hayek, 1976.

The Crypto MBA, Frédéric Bonelli, 2019.

Blockchain : bulle ou révolution ? Parth Detroja, Aditya Agashe, Neel Metha, 2021.

The Bitcoin Standard, Saifedean Ammous, 2018.

Webographie

www.cointribune.com

www.coinmarketcap.com

www.andrieuthomas.com

www.cafedelabourse.com

www.journalducoin.com

www.cryptoast.fr

www.coin24.fr

www.cointelegraph.com

www.glassnode.com

www.fred.stlouisfed.org

Dans la même collection

L'or et l'argent

Guide complet pour comprendre et investir

de Thomas Andrieu

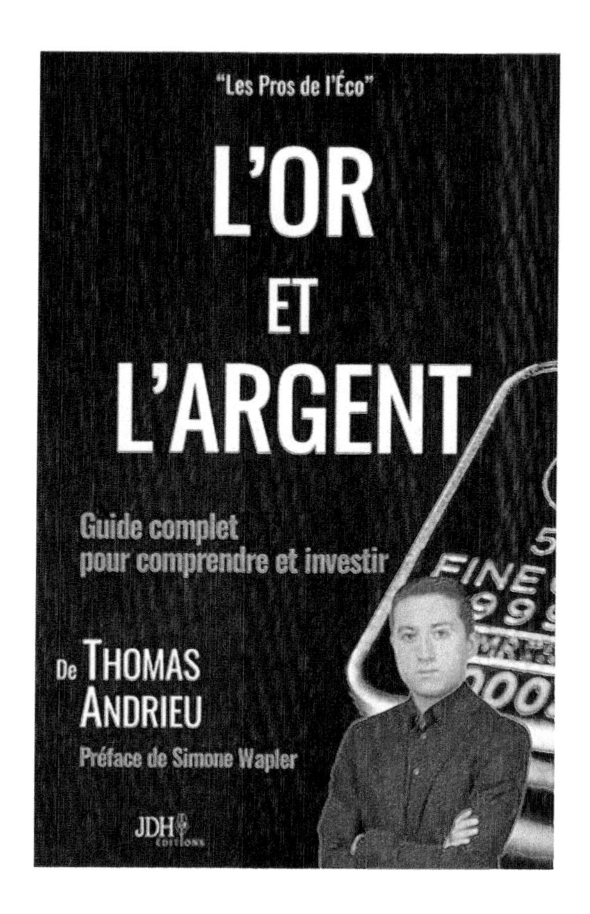

Découvrez les autres collections de JDH Éditions

JDH
ÉDITIONS

JDH
ÉDITIONS
You
Tube